Índice

Dedicatoria

Dedico este libro a toda persona que tiene la valentía para luchar por mejorar su vida y no quedarse con los brazos cruzados. También lo dedico a mis tres hijos, es mi oración que estas palabras sean la confirmación del ejemplo que papá y mamá les dieron en casa. En particular, dedico este libro a mi papá, quien ya está en la presencia de Dios, y que fue un ejemplo de lo que significa ser padre, esposo y un excelente administrador. Papi, te extraño; y sé que, allá en el cielo, preparaste una carne asada para celebrar que tu hijo mayor ha terminado este libro. Tu ejemplo será de bendición para muchos.

Agradecimiento

Doy gracias a Dios que ha moldeado mi vida a través de su Palabra y por los mentores que ha utilizado para inspirarme a vivir en plenitud. Agradezco a mis amigos que, sin darse cuenta, también han sido de influencia para seguir luchando por el sueño de ver más personas ganar con su dinero.

De un radioescucha para el lector de este libro

El libro *Transforma tus finanzas en 30 días* es un súper libro fácil de entender. Está hecho especial para gente sencilla como tú y como yo. Aquí tienes todas las instrucciones de cómo salir del bache de donde te encuentras. Andrés te da todas las (armas) herramientas de cómo defenderte de los encorbatados, y además como llegar a tu paz financiera desde la A-Z. Sacúdete del fango de donde estás y atrévete a vivir el cambio.

"Gracias Andrés Gutiérrez, nuestra familia vive paz financiera gracias a lo que hemos aprendido de ti."

Pepe Miramontez
Radioescucha

Prólogo

Alrededor del año 2009, empecé a sentir una verdadera carga por capacitar en principios financieros a la comunidad hispana. Después de todo, los hispanos eran, y continúan siendo, la población étnica de más rápido crecimiento en los Estados Unidos. Ustedes llevan una cantidad de influencia tremenda en muchas áreas; entonces, tenía sentido ayudarles a aprender las verdades financieras que han cambiado tantas vidas.

Cuando estudié la población de habla hispana en los Estados Unidos, vi que ustedes están a todo lo largo del espectro financiero. A algunos les va bien y están realmente ganando con el dinero. Otros, tienen problemas y están hasta el cuello de deudas, así como yo lo estuve.

En poco tiempo me di cuenta de que, al igual que muchas personas en tantos lugares, los hispanos solo necesitaban que alguien llegara a su lado para ayudarles a descubrir cómo funciona todo eso del dinero. Y aunque estaba dispuesto a ayudarlos, no podía hacerlo solo. Yo no conocía verdaderamente qué brechas culturales necesitaba abarcar y, ciertamente, no hablo el idioma. Después de todo, solo hablo inglés y, obviamente, eso no me permite comunicarme con la comunidad hispana.

Así que empecé a buscar un socio, y lo encontré en San Antonio, Texas.

Andrés Gutiérrez ya estaba haciendo un gran impacto en la comunidad de habla hispana. Durante más de una década, él había servido increíblemente como un asesor financiero exitoso. Además, al mismo tiempo que daba capacitación personalizada, él compartía el mensaje con muchas más personas a través de la radio. Incluso, él se había presentado como experto financiero en la cadena Telemundo.

Andrés trabajaba al frente de batalla todos los días marcando una verdadera diferencia con la gente a quien yo nunca hubiera podido alcanzar.

Entonces, la elección era muy clara. Cuando llegó el momento de traer a alguien para ser el líder de nuestro trabajo en español en Ramsey Solutions, no podríamos haber encontrado a nadie con un corazón más grande y una mejor estrategia que Andrés. Y él hizo un trabajo tan valioso amando y sirviendo a la gente mientras estuvo con nosotros que cuando llegó el momento para que él regresara a trabajar por su cuenta, yo le di mi bendición de todo corazón.

Ahora, cuando pienso en el impacto que este libro puede tener, recuerdo tres cosas que realmente hacen de Andrés una voz muy efectiva para la comunidad hispana. La primera, él tiene una pasión increíble. Es decir, la gente que cree que yo estoy loco por cortar las tarjetas de crédito con un par de tijeras enormes nunca ha visto a Andrés ¡sacar su machete!

Andrés hace las cosas a todo vapor y con excelencia porque él quiere ayudar a tanta gente como sea posible. Él hará lo que sea necesario para hacer llegar su mensaje. Esa característica suya es algo que me encanta y respeto.

Segundo, Andrés comprende las necesidades de la comunidad hispana y su potencial para marcar la diferencia en el mundo. Aunque la gente de todo grupo ético enfrenta desafíos financieros, Andrés siempre me recordó que la cultura hispana tiene obstáculos únicos. Por ejemplo, ustedes creen que "la familia ayuda a la familia". Ahora bien, ese es ciertamente un principio sensacional por el cual regir su vida, pero también puede desalentar a los individuos para que ahorren cuando quieran hacer compras grandes o que aparten dinero para el retiro.

Además, la familia en realidad no puede ayudar a la familia si ¡la familia no tiene dinero!

Y aunque ustedes, los hispanos, también ven en los Estado Unidos una tierra de oportunidad, muchos han creído la mentira de que la deuda es el camino más rápido hacia el Sueño Americano. Muchos de ustedes creen el bombo publicitario que dice que, si uno quiere algo bueno, solo tiene que cargarlo a la tarjeta de crédito. Probablemente tienen el conocimiento sobre la manera correcta de manejar el dinero, pero sus acciones los hunden cada vez más en la deuda.

Andrés comprende todo eso porque ha lidiado con ello durante casi 20 años. Además, entiende que las cosas pueden cambiar. Como alguien que ha construido su propio negocio desde abajo, él ha enfrentado desafíos y los ha superado. Lo que le da una plataforma y perspectiva singulares.

Finalmente, Andrés practica lo que predica. Cuando era más joven, Andrés acumuló mucha deuda. Sin embargo, una vez que vio el hoyo que estaba cavando, empezó a seguir los pasos que ustedes descubrirán en este libro. Él empezó a atacar su deuda con pasión y no se detuvo hasta hacerla desaparecer por completo.

Él todavía practica estos principios a diario a fin de poder enseñarlos a los demás con completa integridad.

Esa es una historia con la que puedo identificarme, y muchos de ustedes, en la comunidad de habla hispana, también pueden hacerlo. Por eso, puedo recomendarles a Andrés y este libro con tanta confianza. Conozco a Andrés como un amigo muy estimado, pero también conozco al hombre detrás de las palabras.

Conozco sus principios y sé que, cualquier pregunta sobre el dinero que ustedes tengan, él puede ayudarles a responderla.

Dave Ramsey

Introducción

Este libro tiene una razón de ser

La razón es simple: tengo pasión por compartir estos principios que han cambiado mi vida y la de muchos otros. Anhelo compartir por escrito, un manual, una guía, para cambiar el rumbo del dinero de cualquier persona sin importar su situación económica. Confieso que se me dificulta mucho sentarme a escribir, pero el deseo de ver un cambio radical en tu vida, me hace sacar fuerzas de flaqueza. Por mi personalidad, disfruto mucho más el estar con la gente y compartir, cara a cara, así como lo hice por casi once años en una oficina. Hoy día esa interacción, uno a uno, sucede a través del show de radio; además, tengo contacto directo desde un escenario al ver las reacciones de quienes dicen: "Ahhh, ya entiendo", (como decimos en mi pueblo: "hasta que les cayó el veinte"). Durante muchos años estuve en una oficina de asesoría financiera. Por casi once años, conversé con familias sobre sus finanzas, unimos esfuerzos para ponerlas en orden, los invité a soñar y a quitarse de la cabeza que hay que ser rico para tener dinero. Disfrutaba mucho esa interacción y, realmente, nunca pensé que el rumbo de mi vida me iba a llevar a compartir estos principios a través del libro que tienes en tus manos. Créeme que estoy tan sorprendido como tú. Quizá nunca pensaste que fueras a estar leyendo un libro para tomar control del dinero, yo nunca pensé que fuera a escribir un libro (con lo malo que soy para la gramática y horrografía, perdón, ortografía). Doy gracias a Dios que existen los editores.

Cuando yo empecé a escuchar de estos principios, me hallaba en el hoyo de las deudas, sin ahorros y sin control. Ser asesor financiero y estar en esa posición es como un ciego ayudándote a cruzar la calle. Empezamos a poner estos principios en práctica y nuestra vida cambió; y despuesito de ver el progreso y esta nueva sensación de control, lo empecé a compartir con mis clientes. De cierto modo, mi oficina se convirtió en algo así como un laboratorio de ensayo, un lugar que me permitió no solo poner todo esto a prueba, sino que, además, ser testigo ocular de los resultados. Y como todo esto es pura lógica, a medida que empecé a compartirlo con mis clientes noté que no había oposición alguna, simplemente decían "tiene sentido, así lo haremos".

El cambio de carrera involucró mudarme a otra ciudad y vender el negocio, pero después del paso del tiempo, muchos de mis clientes se convirtieron en amistades fuertes; pues al compartir con ellos algo que finalmente les dio el control de su futuro financiero, se creó un vínculo muy firme. Es divertido aprender y empezar a invertir, pero eso solo es una de las consecuencias de tener control sobre el dinero. Te vas a dar cuenta de que mucho de poder controlar al dinero es resultado de que logres tener control sobre ti. No te espantes, ya sé que estás pensando que, si ni al gato controlas, mucho menos vas a controlar tu comportamiento. Mira, he sido testigo, personal y presencial, de cómo este tema de las finanzas inyecta disciplina en todas tus actividades, lo que se contagia a las demás áreas de tu vida.

Hoy en día, siete de cada diez personas viven de quincena a quincena, o como decimos comúnmente, de cheque a cheque. Esto no tiene nada que ver con lo que ganas y todo que ver con cómo te administras. Me duele y estoy harto de ver a tanta gente sufrir por el dinero. Veo cómo son manipulados y hasta esclavizados por ignorar cómo se le puede controlar. Conozco una fórmula para salir de allí y eso hace que me inspire al pensar en lo que puede suceder con tu vida. Así que afila tu machete conmigo y démosle en la cabeza a esas ratas de dos patas porque ya les llegó la hora. Vamos a cambiar la ignorancia por educación, esa será tu mejor protección.

Te aviso, desde ahorita, que no vengo en calidad de juez; sino de abogado defensor y director de estrategia, estoy a tu lado como tu amigo o tu hermano. Por eso, te escribo de una manera muy directa y sin pelos en la lengua. Un día alguien me llamó al programa de radio y le di una respuesta dura y directa; la próxima persona que llamó dijo: "¡vaya, le dejaste caer el machete!", y desde entonces mi apodo ha sido "El Machete pa' tu Billete". No te preocupes; no se trata de ofenderte, sino de platicar contigo muy directo y con el corazón en la mano. Si lees algo y sientes que te cae el saco, póntelo porque necesitas un rumbo diferente en tu manejo del dinero.

Mi objetivo es ir contigo, hombro a hombro, rumbo a la Paz Financiera; así que abróchate el cinturón porque aquí empieza algo diferente para tu vida y tu dinero. Hoy sí que van a cambiar las cosas.

Guía gratuita
de estudio y aplicación

Mi meta no es darte información con este libro, sino ayudarte a transformar tus finanzas en los próximos 30 días. Una cosa es leer y otra, muy diferente, aprender y aplicar. Por eso y con la intención de echarte una mano, he preparado una guía para que logres esta transformación. Estoy seguro de que te será de gran ayuda.

Descarga gratuitamente la guía de estudio en:

www.transforma30dias.com

1

El por qué

¿Qué nos pasó?

No teníamos mucho y ahora lo queremos todo. Vienes de andar en burro y hoy quieres un auto grande y lujoso. Perdón, ¿tienes un auto grande y lujoso que no te deja ni respirar? ¿Qué es lo que sucede cuando pasas de ser joven a ser adulto? Si recuerdas, cuando eras joven con lo poquito que ganabas te rendía el dinero. Yo recuerdo que, cuando era estudiante, hacia un trabajito por aquí y por allá y tenía para salir a comer con mis amigos, para ir al cine y hasta para comprarle un regalito de cumpleaños y de navidad a mi novia.

 ¿Qué sucedió? ¿Qué cambió? Lo que sucedió es que antes no tenías acceso a dinero prestado. Rápidamente aprendiste que cuando se acaba, se acabó, y te volviste un súper administrador. Aprendiste a vivir con lo que ganabas y ya que el crédito ni te pasaba por la mente, te conformabas al saber que, si no tenías dinero para comprar algo, pues no lo comprabas. En otras palabras, había contentamiento en tu corazón. Pero, ahora que eres adulto, en cualquier país del continente americano es muy fácil obtener crédito y dar rienda suelta a tus caprichos. Por la razón que sea, hay personas a quienes nunca se les ha confiado un crédito, pero esto no los detiene. Empiezan a pedirle prestado a los amigos o familiares o, peor aún, terminan pidiendo prestado a uno de esos tiburones alagartados que, aunque trabajen en una esquina de la calle o en un local, no dejan de ser ni tiburones ni alagartados. ¿Te das cuenta que hoy ganas entre cinco y diez veces más que ganabas cuando joven, pero no te alcanza? La diferencia es que, en tu mente y tu corazón, necesitas más dinero del que tienes y no encuentras otra solución. "Si no obtengo ese dinero, me muero". Y sí te mueres, pero financieramente al pedir tanto prestado. Si lograras tomar la decisión de que vas a vivir solo con lo que ganas, muchos de tus problemas económicos, así como la ansiedad y el desgaste que los acompañan, se terminarían. A mí me gusta decirlo de la siguiente manera y lo aprendí de Dave Ramsey: "Si vives como ningún otro, luego podrás vivir como ningún otro".

Recuerdo que Memo me llamó al show y dijo: "Andrés, mi mamá, en México, vendiendo helados y otras cosas, logró comprar terrenos y casas; ¿cómo es que yo, en Estados Unidos, ganando lo que gano, no alcanzo ni para pagar la renta? Hay ciertas personas a quienes Dios los formó para ser ahorradores y logran juntar dinero, aunque ganen poco. Otros, dicen "con lo que él gana, yo no podría ni comer". Para la gran mayoría, el ahorro es algo completamente nuevo porque nunca nos lo enseñaron ni nos hablaron de eso. Esta parte de la administración, realmente, es solo sentido común y responsabilidad personal. No se necesita más que matemáticas de segundo grado para ganar con el dinero. La parte del sentido común, que son las matemáticas, llega solita; si las pones en práctica, ganas de verdad y esa ganancia llega hasta tu corazón. Nadie te va a sacar del hoyo. No existe ningún plan para ayudarte a quitarte el disfraz de niño que traes puesto. Solo tú puedes quitarte de ese disfraz y tomar responsabilidad. En otras palabras, si comes hamburguesas todos los días y te pones gordito, los restaurantes de comida rápida no tienen la culpa.

Desde Estados Unidos hasta la Conchinchina

La Biblia habla de una tierra prometida donde fluye leche y miel. Me encanta ese término porque describe una tierra bendecida, una tierra donde hay abundancia, es una tierra fértil, una tierra donde se cumplen sueños, una tierra donde nadie se muere de hambre, una tierra próspera. Nunca en la historia del mundo ha existido un lugar donde tengas libertad para ser feliz, libertad de expresión, libertad de fe y la mayor oportunidad para crear riqueza sin importar tu pasado. Este país que ha sido el mayor imán para los seres humanos es Estados Unidos. Las personas que viven aquí saben de qué hablo. La abundancia está por todos lados. Muchos lo critican, pero realmente es un país bendecido por su generosidad. Nunca en la historia del ser humano ha existido un país tan generoso y no estoy hablando solo a nivel gobierno, sino a nivel de ciudadano. Hace años, cuando pegaron los maremotos en Asia, el gobierno dio apoyo de todo tipo, pero las estadísticas dicen que la gente de este país dio, de su bolsillo y sus cuentas bancarias, cuatro veces más esa cantidad. La gente quiere llegar aquí por esa oportunidad increíble que este país ofrece.

> Controlar el dinero es resultado de lograr tener control sobre uno mismo.

El 80% de los ricos son ricos de primera generación, son personas que empezaron con nada y, antes de morir, acumularon riqueza. Esto es según el estudio que realizaron los autores del libro *El millonario de al lado*.

Si tú estás leyendo este libro, en español, en Estados Unidos, significa que tus raíces son de algún país en Latinoamérica y tienes la misma oportunidad que las personas que nacieron aquí. El sueño de este libro es que impacte a nuestro pueblo latino. Los norteamericanos nos tienen como excelentes trabajadores, pero hemos sido terribles para acumular. Muchos dejaron a su familia, su casa, su rancho, su perro, su gato, para venir, trabajar, juntar dinero y regresar. Muchos han llegado, trabajado, pero se les olvidó acumular.

¿Qué te pasó? Qué pena que me topo con personas que tienen años aquí y no tienen ni $1,000 dólares ahorrados. Me encanta confrontar a las personas y enseñar cómo cambiar el comportamiento, aunque también entiendo que todo esto ha sucedido por ignorancia.

"Ya empaqué y estoy listo para irme"

¿Y a dónde vas? Que Estados Unidos sea un ejemplo de un país próspero, no quiere decir que solamente aquí se pueda vivir en Paz Financiera. Muchos de los que han venido no lo han logrado por diversas excusas, pero ninguna justificación; y muchos de los que se quedaron en sus países tienen prosperidad y han podido salir adelante. Así que deja las maletas a un lado y pon atención. La prosperidad y la Paz Financiera no tienen nacionalidad ni geografía. Están al alcance de tu mano, en el centro de tu corazón y en tu capacidad mental. La ignorancia es tu peor enemiga, ella te dice: "no tienes nada que aprender", y lo peor de todo es que le haces caso. Hasta que un día, te encuentras con algo nuevo y descubres que la ignorancia estuvo a tu lado todo el tiempo. Me estaré refiriendo a la ignorancia a lo largo del libro como *igno*. Por *igno* y no saber sobre cómo manejar el dinero estás donde estás. La mayoría no tienen un problema de ingresos, tienen un problema de administración; y no importa si están o no en el país donde fluye la miel y la leche. Si no aprendes a administrarte, te sentencias a vivir en una ruina perpetua. Las personas que viven bajo estos principios encuentran la Paz Financiera aquí, en los Estados Unidos, o cualquier otro lugar del mundo. La Paz Financiera no solo se da en los países del primer mundo o desarrollados, sino que es para el que la quiere de veras. Lo que significa que hay que quererla por encima de la pizza y del cable. Aunque estamos en el país de la oportunidad, aquí hay personas que se vuelven sanguijuelas. Se aprovechan de los programas de ayuda que existen para la gente que realmente los necesita, como: viudas, madres solteras, incapacitados, jubilados, etc. Dejan de buscar cómo superarse y se convierten en "parásitos". Qué triste cuando alguien pregunta si hay algún programa de ayuda federal en vez de preguntar dónde pueden conseguir trabajo. En lugar de esperar ayuda del gobierno, del seguro social o de la vecina de enfrente, levántate de ese sillón y busca trabajo.

"Es que a mí no me gusta tener patrón"; entonces, abre tu propio negocio, pero sé una persona productiva. Es una bendición que haya programas que te den la mano si te caes del caballo. Que te apoyen si pierdes el trabajo o te enfermas. Pero son solo eso: ayuda, no "modus vivendi".

Yo creo que los hombres estamos diseñados, por naturaleza, para proveer. Los cavernícolas salían de la cueva, cazaban algo y lo arrastraban hasta la casa. Nada ha cambiado, pero cuando te vuelves un mantenido, estás yendo en contra de tu naturaleza y eso va afectar otras áreas de tu vida y de la de quienes te rodean. Aparte de que te vas a deprimir, que vas a perder la dignidad y que tus hijos van a seguir tu ejemplo, al rato vas a ver a tu hija viviendo con un vago y manteniéndolo. ¿Cómo la ves? Esta alteración a la naturaleza es una de las razones por la que ciertas familias pueden vivir de generación en generación en la misma derrota. El impacto de romper con tu naturaleza de proveedor va más allá de tu presente. En vez de estar chupando, ponte a empujar junto con todos nosotros. Si este país te ha abierto las puertas, respeta sus leyes y aprende el idioma. No, no es por agradecimiento, es porque te conviene. Recuerda, "la educación es tu mejor protección". Si tienes la oportunidad, vota; y háblale a tus hijos de la importancia de eso. El sueño es convertirnos en un orgullo para este país. Que a donde llegue un latino digan "esa gente es de calidad. No solo son muy trabajadores, son personas de familia, de valores, generadores de trabajo y riqueza". Cuando uno de ellos llegue a tu negocio, contrátalos, son gente de empuje.

Ya sea que estés en la tierra donde fluye leche y miel, o en la Conchinchina, deja de quejarte y aprovecha las oportunidades. Unos dicen que la oportunidad no existe, pero eso sale de gente como aquel que se queda echado en el sofá, deprimido y sin dignidad, y que se ha acostumbrado a que lo mantengan, ¿te acuerdas que ya hablamos de ellos? En este país y la mayoría de los de Latinoamérica hay oportunidad para el que quiere y se dispone a lograrlo. ¡Aprovecha y haz algo al respecto!

> La prosperidad y la paz financiera no tienen nacionalidad ni geografía.

La prosperidad es para el que se administra, no una lotería divina

Unos se preguntan si Dios está: "a este, a este, a este, este y este otro les voy a dar prosperidad, pero a estos de este lado, no". Si tú crees eso, te tengo buenas noticias, la Paz Financiera es para el que se administra, no es una lotería de Dios.

A veces escucho o me topo con una envidia o un coraje contra la gente rica. En mucha gente existe el sentimiento de que los ricos fueron afortunados y ellos, desafortunados. No es como si hubiera Dios dicho "a los estadounidenses les voy a dar la bendición de la riqueza y a los latinos, las mieles de la clase trabajadora". Has escuchado algo como "los ricos son unos desgraciados" o "esa gente está donde está porque se han aprovechado del pobre" o "tienen lo que tienen a espaldas de los pobres". No tengo duda que existen algunos cuantos ricos que sí merecen el calificativo; sin embargo, también conozco pobres que son unos desgraciados, ¿a poco no? Como ves, no le podemos echar la culpa al dinero. El que es desgraciado es desgraciado "con dinero y sin dinero", como dice la canción.

Normalmente, el que acumula riqueza en una generación, lo logró por ser una persona de calidad. Nadie compra ni trabaja con empeño para un desgraciado. Los ricos tienden a ser personas íntegras y generosas; por eso, la gente que los conoce, los quiere. En vez de tenerles envidia, mejor aprende de ellos. Ellos ya encontraron la receta y siempre están más que dispuestos para compartir sus experiencias con otros. Encuentra gente rica e invítala a comer o a tomar un café. Dile que te encantaría escuchar su historia, saber que le tomó para llegar a donde está. No te olvides de llevar un papel y una pluma porque, prácticamente, te dará la receta. El propósito de este libro es compartir contigo los principios que los ricos comparten, los principios que traen paz, pero también un plan probado para cómo caminar, paso a pasito, rumbo a la Paz Financiera. Sin importar cuál sea tu trasfondo, si pones esto en práctica, con toda seguridad, irás rumbo a la riqueza.

> **Si no aprendes a administrarte, te sentencias a vivir en una ruina perpetua.**

Si le pones atención a la gente próspera, vas a reconocer ciertos patrones que se repiten en esas personas. Esos patrones son principios que se pueden practicar sin importar dónde te encuentras. La multiplicación de 4 x 4 da el mismo resultado aquí, en Polonia, en Australia y en Júpiter porque está basado en el principio de "exactas" de matemáticas. Es igual con tu dinero y los principios que conducen hacia la Paz Financiera. No importa cuál sea tu situación en este momento, ni tu trasfondo, ni que no tengas amistades influyentes, no importa el color de piel o si tu cabello es liso o crespo…, es más, aunque no te guste el fútbol, tú puedes prosperar si sigues los principios que compartiré en este libro. Y como dije en el título, tus finanzas serán diferentes, en 30 días.

No te voy a decir que es fácil romper con los patrones que has venido practicando pues están entrelazados en tu ADN. Esos patrones los has visto desde chiquito en tu casa y todo tu entorno. Todos tenemos esos tíos o primos que no sueltan el micrófono en las fiestas familiares; los que dominan la conversación y, a fuerza, quieren hablar de política y todo lo que sale de su boca son puras quejas: "No se puede ganar", "es un juego vendido", "los ganadores ya fueron escogidos", "nosotros somos pobres, pero felices", "si la riqueza fuera buena, por qué se divorció doña Tencha", etc., etc., etc. Fíjate bien y haz todo lo necesario para no ser "uno de los cachorros de la 'Chenca'".

La "Chenca" una perra pastor alemán que estaba preñada y que fue atropellada poco antes de que nacieran sus cachorros. El golpe le lastimó su cadera, pero lo bueno es que a los perritos no les pasó nada. Semanas después del accidente, nacieron los cachorros y no se veía que tuvieran problemas; pero los dueños notaron que los perritos no caminaban bien. Pensaron que tal vez el accidente les había causado algún daño cerebral, así que decidieron llevarlos al veterinario. El veterinario los revisó a todos y concluyó que no había ningún trauma cerebral o físico en los cachorritos, sino más bien era un problema de aprendizaje a través del ejemplo. Ya que veían a su mamá caminar con la cadera baja, ellos "pensaron" que debían caminar así. Muchas veces pienso en el pueblo latino y me acuerdo de esta historia y pienso que somos como esos cachorritos, hacemos lo mismo que vimos en casa. Ahora me atrevo a decir "éramos"; porque al seguir las recomendaciones de ejercicios y ver el ejemplo de otros perros, como dijo el veterinario, los cachorros aprendieron a caminar y hasta a saltar y correr.

El punto es que todo eso está en tu corazón y en tu mente. Si has sido infectado con el espíritu de pobreza que cree que Dios ya repartió toda su bolsita de bendiciones de prosperidad. Si escuchas decir: "Se le acabaron las bendiciones de prosperidad a Dios y quedamos fuera". Si tú has visto o escuchado algo así desde chiquito en tu familia, es difícil romper con eso en tanto no llegue una programación nueva a tu computadora cerebral. Como dicen por ahí, hasta que te "cambien el chip" los resultados no van a cambiar. Seré más claro y te voy a hablar en ranchero, si siembras naranjas, no esperes cosechar manzanas. Es decir, si siembras semillas pobreza, no esperes riqueza en la cosecha. Deja de creer que seguirás igual que siempre solo por tu trasfondo. Dios nos ha dejado principios que te conectan a su bendición; son principios para romper con la maldición de la pobreza que ha estado en tu familia. Si sigues los principios que se encuentran en este libro, en solo 30 días, estarás viviendo en Paz Financiera y con el favor de Dios sobre tus finanzas. Si eso te pone una sonrisa en tu corazón, de pulmón a pulmón, pon en práctica lo que vas a leer y te aseguro que lo lograrás.

¿Tienes visión de sabio o ceguera de orgullo?

> **Mientras no cambies el chip, no cambian los resultados.**

Notarás que hablo de estos principios con mucha convicción. Una de las razones es porque son lógica y sentido común; otra, porque son los principios de Dios para nuestras finanzas. No hay nada aquí que yo haya inventado; pero lo que sí te puedo decir es que los he puesto en práctica y yo vivo en Paz Financiera. Eso sería suficiente para hablar con autoridad sobre estos principios. Sin embargo, además, yo recomendé esto a mis clientes por más de una década, en una oficina de asesoría, y los vi producir los mismos resultados una y otra vez. Te aseguro que esto principios no están a prueba, ni dependen de tu criterio si funcionan o no. Está demostrado que funcionan el 100% de las veces. Te digo esto porque hay personas que escuchan estos principios y no los practican. Los pobres están ciegos... ¡pero de orgullo! Cuando empecé con el show de radio, de vez en cuando, recibía una llamada de alguien que decía: "quien eres tú para decirme qué hacer con mi dinero, yo no necesito ayuda, yo sé qué hacer con mi dinero", o "qué te importa lo que yo haga con mi dinero". Imagínate que yo estoy hablando en la radio y alguien se sentía suficientemente ofendido para llamarme con esos comentarios como si lo estuviera avergonzando públicamente. Yo decía en mi mente: "al que le venga el guante...". El tema de las finanzas personales se trata de responsabilidad personal y no de matemáticas. Eso hace que la gente que escucha sobre este tema sienta que le pisan los callos, porque no es cuestión de matemática sino de madurez y les estoy dando de machetazos a su orgullo. El orgullo puede ser el obstáculo que te impide recibir un consejo y vivir en Paz Financiera.

> El orgullo puede ser el obstáculo que te impide recibir un consejo y vivir en paz financiera.

Vamos por partes: "consejo" no es igual a "orden". Vivimos en una cultura muy individualista donde a la gente se le dificulta permitir que alguien hable a su vida. Si andas buscando un cambio en tus finanzas personales, necesitas soltar tu ego y permitir que el consejo de otros llegue a tu vida. Si no te gusta donde estás, cambia. Si no sabes a dónde ir, pregunta. Es por tu culpa y tu falta de conocimiento que estás donde estás; así que baja tu guardia y aprende a escuchar a personas más sabias que tú, especialmente a aquellas que ya salieron de donde tú estás. Busca personas que respetes y pídeles consejos para las diferentes áreas de tu vida. Nunca llegarás al próximo nivel en tu vida si no dejas de criticar a los que han llegado más alto que tú. En vez criticar aprende de ellos. Si quieres llevar tu matrimonio a otro nivel, no leas el libro del que lleva 14 divorcios y dice que ya tiene el secreto... Mejor busca una pareja que tenga 50 años de casados y pregúntale cómo se aguantaron. Hay personas que han escrito libros sobre este tema de cómo tomar consejo. Simplemente, reconoce que hay personas más sabias que tú y descubre que están dispuestas a compartir su experiencia contigo. No es necesario tropezar con la misma piedra donde alguien ya tropezó. Si necesitas todo un libro para aprender aplicar este principio es probable que nunca salgas del hoyo. Toma una decisión ahorita mismo para dejar que otros hablen a tu vida.

No tienes que tomar todos los consejos que escuches o leas, pero por lo menos has ese orgullo a un lado para escuchar, analizar y decir "yo quiero eso, así que voy a poner en práctica el consejo".

Dicen que la experiencia es la madre de la sabiduría. Estoy de acuerdo con eso, pero he aprendido que no tienen que ser tus propias experiencias. Uno puede aprender en cabeza ajena. Aprender por experiencia es muy cruel porque primero golpea y después enseña. El hecho de que estés leyendo este libro me dice que tienes curiosidad por aprender algo nuevo. Baja el volumen del orgullo y continúa esa búsqueda de consejo para que el viaje de la vida te sea más fácil. Si quieres unos buenos consejos y un plan para cambiar el rumbo de tu dinero, ¡agárrate, que aquí vamos!

2

¿Cómo le hago?

Un plan

"Teniente, naufragábamos sin rumbo, pero ahora sé para dónde vamos". ¿Para dónde, Capitán? "Rumbo a la paz financiera".

De la misma manera en que para llegar del punto A al punto B se necesita un plan, lo mismo es para salir de la mediocridad o la miseria y llegar a la paz, se necesita un plan. Llámalo como gustes "GPS", "brújula", "dirección", "señales de humo", pero asegúrate de tener uno.

"¿Empiezo por los ahorros o por las inversiones?", "¿empiezo por las deudas o será que empiezo por los seguros?". Cuando la gente empieza a escuchar de finanzas y le entra interés por mejorar su situación, se siente totalmente abrumada porque no sabe ni por dónde empezar. Uno empieza a analizar las cosas y termina con parálisis por tanto análisis. Dicho de otra forma, terminan haciendo nada porque no supieron ni por dónde empezar. Esa es una de mis metas con este libro, darte dirección. Tiene que haber un orden para que uno empiece a ganar con el dinero. No puedes empezar a invertir si no tienes dinero para invertir. Vamos a andar, paso a pasito, como un bebé. Los bebés no nacen corriendo. Al principio no hacen nada, solo están absorbiendo su entorno; se parecen a la gente que me escucha por la radio o que lee algo así por primera vez. Después empiezan a gatear, esto es como cuando te sientas y empiezas escribir tus gastos, a comprender lo que está sucediendo. Luego, el bebé se para, esto yo lo comparo al primer paso de nuestro proceso: ahorrar $1,000 en el banco. Entonces, el bebé empieza a caminar, despacito, paso a pasito, y empieza a sentir confianza. Cuando me reunía con una familia como asesor, les presentaba un plan. Todo empezaba por unas juntas donde obtenía información sobre cuáles eran sus objetivos. La mayoría de las veces me decían: "queremos estar mejor con nuestro dinero". Otras veces, alguien los animó a buscar ayuda y decían: "uno de nuestros mejores amigos nos dijo que era muy importante hacer esto y por eso estamos aquí". Otras veces, venían con una idea como: "ya nació nuestro segundo hijo y sé que necesitamos un seguro de vida" o "me acabo de cambiar de trabajo y tengo una cuenta de retiro con la que no sé qué hacer". Otros llegaban diciendo: "murió mamá y nos dejó dinero, pero no sabemos qué hacer y no lo queremos desperdiciar". Otras veces, era en relación a su empresa porque querían mejores prestaciones para sus empleados. El proceso era analizar sus objetivos y ayudarles a entender su situación, ayudarles a tomar decisiones y ejecutar el plan. De nada sirve tener un plan y no llevarlo a cabo. Es como un montón de jugadores de futbol a quienes, después de darles la estrategia, la olvidan, salen a la cancha a jugar de "apaga fuegos" y se convierten en títeres del equipo contrario. ¿Has visto jugar a niños entre tres y cinco años? No tienen un plan o estrategia, todos andan detrás del balón, ¡hasta el portero!

Después de presentarnos, mi meta era entender sus objetivos; y para quienes no sabían por dónde empezar, ayudarles a establecer una visión. Este es el punto "B" o la meta. Si se trataba de un cálculo para la jubilación, establecíamos la edad para jubilarse y la cantidad o el nivel de vida con el que lo quisieran hacer. En la primera o segunda junta, mi propósito era comprender su situación financiera actual. Yo quería saber dónde se encontraban con su dinero y hacía un inventario de todo lo que tenían y debían. Además, quería entender cómo pensaban en cuanto al dinero y qué creencias traían. (Ya hablaremos más adelante de creencias que te desvían del camino rumbo a la paz financiera).

> De nada sirve tener un plan y no llevarlo a cabo.

Preguntaba de quién habían tomado consejos y por qué. Este es el punto "A" o punto de partida y ya habíamos establecido el punto "B". Una vez que tienes estos dos puntos, es fácil calcular lo que se necesita para llegar a la meta y determinar, con los clientes, si su meta era realista o no. Es obvio que, si no lo era, hacíamos unos ajustes para tener metas realistas según sus posibilidades.

A eso se le llama "planificación financiera". Sé que, al leerlo, piensas: "lo que dices, Andrés, es elemental; llegar del punto 'A' al punto 'B', pero la realidad es que muy pocos lo hacen. Unos creen que no tienen suficiente dinero para consultar con un profesional, y a la gran mayoría, ni le cruza por la mente. No pasó mucho tiempo para que el espagueti que tengo en el cráneo se diera cuenta de algo. Las recomendaciones eran las mismas para la mayoría de la gente. Si no tenían dinero, empezábamos por establecer un pequeño fondo de emergencias. Si tenían algo de ahorros, pero tenían deudas, nos íbamos bien duro contra la deuda porque, si hay deudas, uno realmente no tiene el dinero para invertir. Tener deudas significa que habían estado gastando más de lo que entraba a la casa; así que de dónde iban a sacar dinero para invertir, después de pagar las deudas. Al mismo tiempo que estaban estableciendo un fondo de emergencias o pagando sus deudas, establecíamos ciertos seguros para proteger a la familia y el patrimonio. —Sí, dije "patrimonio". Puedes pensar, "*pos*, si lo único que tengo son deudas, ¿a qué le llamas patrimonio, Andrés?". *Patrimonio* son los bienes, aquello con lo que cuentas para generar ingresos. Sí, sé que ya lo sabías, pero lo que no sabes es que eso incluye: salud y capacidad de trabajo. Así que, aunque no se tengan bienes tangibles y se esté en números rojos, tener un seguro de vida o de incapacidad y un seguro médico es necesario desde el principio. Si la gente espera a tener dinero o ahorros para comprar por lo menos dos de esos seguros y algo sucede, pueden hundirse más en el hoyo de la deuda y paran extendiendo su "abanico" de acreedores, pues ahora les deben a los hospitales, médicos, laboratorios; o, lo que es peor, la herencia que dejan son los puros gastos funerarios, además de todo lo anterior.

Después de salir de las deudas, todo el dinero que usaban para atacarla estaba disponible; ahora la meta era crear un cimiento fuerte, de concreto y varilla; eso es construir un fondo de emergencias completo. Esto se hace con el propósito de proteger lo que está por venir. Después de tener ese cimiento bien sólido, empezábamos con la acumulación para las metas principales. Para la mayoría, estas eran: la jubilación y educación de sus hijos.

Me di cuenta que la clave era identificar la posición en la que estaban en ese momento y darles las recomendaciones de ese paso del plan financiero. A ese proceso de planificación financiera nunca pude darle nombre. Siempre decía, el siguiente paso en un plan financiero es este. Finalmente, vi una de las mejores ilustraciones que me ayudaron a crear una imagen de pasos a seguir en la mente de mis clientes. Dave Ramsey, mi mentor, es la persona de quien aprendí esa ilustración y el proceso de planificación financiera. Él le llama "Baby Steps" o pasos de bebé. Y el concepto es que uno va dando pasitos para salir de sus problemas y ponerse rumbo a la Paz Financiera. Cuando aprendí eso, cambié la manera en que me refería al proceso de planificación financiera con mis clientes, especialmente con los clientes nuevos y empecé a llamarle "Los Pasitos". Por un momento pensé que los clientes tal vez iban a sentir que era demasiado simple y pensarían que yo no era lo suficientemente sofisticado, pero lo que sucedió fue todo lo contrario. Las personas entendían el proceso de una manera más clara y podían ver el progreso de sus decisiones. Eso los llenaba de esperanza, pues al saber que estaban en un paso determinado y que después venía otro paso que los acercaría más a la meta, lo esperaban con ansias y se esforzaban por alcanzarlo.

Este proceso ha sobrevivido la prueba del tiempo y toda batalla. Es un plan que ha cambiado a millones de familias, no porque haya sido diseñado por un genio, sino simplemente porque está basado en la lógica y es sencillo. Este es el mismo proceso que yo sigo, en lo personal, y que compartía con todos mis clientes, desde personas que no tenían un solo peso y estaban empezando hasta con personas que tenían millones de dólares. Este proceso aplica para todo nivel de ingresos porque es sentido común.

Vamos a caminar paso a pasito.

"Oye, Andrés, yo no necesito pasitos, no necesito un plan financiero, lo que yo tengo es un problemón de deuda, ¿cómo me salgo de la deuda? Mi respuesta va a ser la misma, "Hay que seguir este proceso". Por más grande que sea tu problema o la pesadilla de tu situación financiera, ¿cómo se come un elefante? En México, se come con salsa, tortillas, arroz y frijoles. No, estoy bromeando; todos hemos escuchado que se come una mordida a la vez. Se va a tomar tiempo, pero así es como uno se sale de un problemón y como uno gana con el dinero.

Suena sencillo y es fácil de entender; pero, además, es un plan financiero extenso y completo. Hay personas que piensan: "no puede ser bueno porque yo le entendí". Creen que un buen plan financiero debe ser algo más complejo. Especialmente, las personas que han consultado otros profesionales y han pagado $500, $750, $1,000 dólares por un plan y que les entregan un libro de 150 páginas sobre su vida financiera que la única vez que lo abrieron fue cuando se los presentaron. Obviamente, solo vieron unas diez páginas porque el tiempo no daba para más. No me malinterpretes, es bueno reunirse con un profesional, es más, yo lo recomiendo mucho. Hagan un plan financiero con un experto, pero asegúrate de que hablen el mismo idioma, es decir, un lenguaje que puedas entender, ya que de otra manera no sirve para nada. Recuerda que le pagas para que te dé soluciones no una demostración de lenguaje técnico financiero. Pero si ya tienes uno de esos extensos planes financieros puedes usarlo para cuando viene el tiempo de frío, lo echas en la chimenea para crear calor en tu hogar o juegas con tus hijos haciendo avioncitos de papel.

> Trabajar y trabajar y trabajar solo para sobrevivir es lo mismo que morir y morir lentamente.

Para ganar un partido de futbol necesitas una estrategia, un plan de juego. Ningún dueño de equipo va a meter a 11 jugadores a la cancha y dejarlos que corran como locos y que hagan lo que se les ocurra. ¿Verdad que no?, hasta suena ridículo, pero así estamos llevando nuestra vida financiera. Cuando estamos viendo un partido, todos les gritamos a los jugadores en la televisión "no seas bruto", "baja", "baja", "qué estás haciendo ahí, esa no es tu posición". Pero cuando conoces la estrategia, es fácil de entender y el camino se ve muy claramente, en las finanzas, a esto se le llama tener un plan financiero.

Una vez más, les presento su estrategia financiera "Los Pasitos". De verdad, si se tomaran el tiempo para sentarse y pensar en sus finanzas, ustedes terminarían con la misma conclusión de Los Pasitos. Vamos a profundizar más en el tema porque es importante darte una perspectiva saludable. Primero que todo, esto es un proceso no un evento. Se toma tiempo. El éxito del próximo paso depende del éxito del paso en el que estás. Así que no hagas trampa porque el único que va a sufrir eres tú y tu familia. Son 7 pasitos los que les voy a presentar. Así de sencillo. Vas a empezar con el Pasito #1 por que el #1, viene antes del 2. No te vas a enfocar en el Pasito #2, hasta que termines con el Pasito #1.

Los Pasitos

Pasito #1 Juntar $1,000 dólares.
Pasito #2 Pagar tus deudas con la "bola de nieve", excepto la casa.
Pasito #3 Completar el fondo de emergencias, de 3 a 6 meses
        de gastos.
Pasito #4 Invertir el 15% para la jubilación.
Pasito #5 Invertir para el fondo universitario.
Pasito #6 Pagar la casa.
Pasito #7 Disfrutar más, ahorrar más y DAR mucho más.

Primero, quiero que veas la estrategia como si estuvieras en el asiento más alto del estadio; luego, baja y quédate aquí, conmigo, para caminar juntos, hombro a hombro.

No se trata de solo sobrevivir, no se trata de solo pagar la luz y pagar el cable, se trata de ganar y para ganar se necesita gasolina. Si tu tanque anda vacío de esta gasolina, aunque entiendas el proceso de Los Pasitos, va a ser difícil lograrlo. Esta gasolina se llama esperanza. Sé que la esperanza es algo difícil de entender. Yo me preguntaba dónde consigo, dónde compro esperanza. La esperanza empieza a crecer en el corazón cuando escuchas o lees algo que crees que puede suceder porque tu cerebro y subconsciente saben que es real. Cuando escuchas esto principios básicos, estás seguro de que funcionan porque es lógico. La esperanza es como un músculo que empiezas a ejercitar. Escuchas el show, escuchas cómo otras personas lo están viviendo y empieza a crecer esa esperanza que te hace decir ¡ya basta! de ahora en adelante las cosas van a cambiar en esta casa; aquí es cuando tu vida cambia. La esperanza es la gasolina que te impulsa a salir del hoyo financiero.

Levanta la mirada y apunta a la paz financiera

La mayoría de la gente no gana con el dinero porque traen la mirada en el piso. "Uff, vieja ya logramos sobrevivir una semana más". La gente celebra que pudo pagar la casa este mes. Que difícil vivir así, de mes a mes; otros dicen de quincena a quincena. He aprendido que con una nueva programación del chip (lo cual es uno de los propósitos de ese libro), y con decisión, tú sales de ese estado de coma

LOS PASITOS

1
FONDO DE EMERGENCIA
$1,000 para iniciar su Fondo de Emergencia

2
LA BOLA DE NIEVE
Pague toda deuda usando La Bola de Nieve

3
FONDO DE EMERGENCIA COMPLETO
3 a 6 meses de gastos en ahorros

4
JUBILACIÓN
Invertir el 15% de su ingreso en cuentas de
jubilación de ROTH IRA y otras cuentas de jubilación

5
FONDO UNIVERSITARIO
Fondo universitario para sus hijos

6
PAGAR SU HIPOTECA
Pagar su casa antes de tiempo

7
ACUMULAR RIQUEZA Y DAR
Invertir en fondos mutuos, bienes y raíces y dar

financiera donde, aunque recibes el oxígeno indispensable, pero mueres lentamente. Vivir de "día a día" te ciega y no te permite ver más allá del fin de semana. Si este eres tú, es obvio que traes la mirada en el suelo. Esto no solo apaga tu corazón, sino que hasta hace que te preguntes si eso es todo en la vida. Los problemas financieros son una de las causas principales del suicidio. Trabajar y trabajar y trabajar para solo sobrevivir es lo mismo que morir y morir y morir lentamente. El sacrificio por ganar dinero es demasiado fuerte como para solo vivir al día. Más adelante se darán cuenta que esto no tiene nada que ver con cuánto ganas y todo que ver con cómo te administras.

En vez de solo sobrevivir, tener un plan financiero te obliga a levantar la mirada y pensar en tu futuro. Cuando vemos Los Pasitos vemos que en el Paso #4 se empieza a acumular riqueza para nuestra jubilación; además, se empieza a planear para tener un fondo universitario en el Paso #5. ¿A quién no le interesa eso? Eso te obliga a levantar la mirada del suelo y ver hacia el horizonte y decir "¿qué tengo que hacer para llegar ahí?". Imagínate una persona viendo a través de unos binoculares hacia el piso. Ahora imagina todo lo que puede ver al levantar su mirada, lentamente, y se ve a sí mismo alcanzando el Pasito #1, #2, #3 hasta que llega a ver el horizonte y se da cuenta que la independencia financiera está a la vista y logra ver a sus hijos estudiando su carrera universitaria y sin deudas. Eso se me antoja tanto que estoy dispuesto a sacrificar para ganar, estoy dispuesto a terminar con los tres primeros pasitos para llegar a contemplar el horizonte. Lo que normalmente veías como sacrificio, ahora se vuelve el camino porque tu enfoque no está en hacer los cambios sino en la meta y entiendes que tienes que hacerlos para alcanzarla. Por ejemplo, todos los que se han puesto a dieta saben lo difícil que es porque uno se priva de muchas cosas. Bueno, así se siente, pero ¿qué tal si ahora pones una foto de cuando eras delgado en el refrigerador y en la alacena? Te aseguro que será un recordatorio constante de lo que has decidido lograr y será más difícil que termines comiéndote ese antojito. Al ver la foto dirá: "no me puedo comer ese chocolate porque así es como quiero estar". Eso es levantar la mirada y poner el enfoque en la meta y no el proceso.

El plan financiero no solo es la estrategia, también es lo que genera la esperanza. Es lo que genera una bola de nieve emocional que empieza a crecer en tu interior. Tú podrías leer esto y no creer que puedes llegar a experimentarlo. Piensas que algo como la paz financiera suena poco realista; sin embargo, cuando juntas $1,000 dólares en el Pasito #1 una chispa se enciende en tu corazón y dice "tal vez podría suceder, sé que faltan muchos pasos y vienen unos difíciles, pero al principio no creía nada y ¡ahora ya tengo $1,000 dólares ahorrados!". Después empiezas a atacar las deudas y terminas con una o dos de las chiquitas y, olvídate, lo que era solo una chispa llega a ser como el piloto de la estufa y luego se convierte en un fuego forestal que nada lo puede apagar. Crece a tal punto que ya no importa el qué dirán. Te importa un comino lo que piense tu cuñado, el quebrado, o tu vecino, el borracho, porque tú tienes una misión que cumplir. Hasta la musiquita de misión imposible escuchas en el fondo cuando la esperanza empieza a crecer.

La economía mundial y el mundo de tu hogar

Antes de entrar en la materia principal de este libro, quisiera tocar el tema del precio del barril del petróleo. ¿Han notado que el petróleo tiene un fuerte impacto en la economía de muchos países? Unos aplauden cuando sube el petróleo por todo lo que generan para esas empresas y sus empleados y por supuesto para muchos países que dependen del famoso oro negro. Otros aplauden cuando baja, porque eso es bueno para el bolsillo del consumidor.

Otro factor que afecta la economía mundial es el dólar. Al momento de escribir este libro, debido a que el precio del petróleo ha caído, el dólar se ha fortalecido, y todos los países que tienen fuertes relaciones de intercambio comercial se ven afectados porque se necesita más dinero para comprar lo mismo de antes. Hay quienes dicen que la oferta y la demanda son las fuerzas que mueven la economía mundial. En este momento de la historia, la producción en China ha disminuido y eso afecta casi todo el mundo ya que casi todo el mundo está interconectado con China. Yo no tomé clases de economía en la universidad, pero dicen que el estira y afloja entre estas dos fuerzas es un factor a considerar cuando se avecinan las caídas económicas.

Otro factor que es más como un leopardo escondido, listo para cazar, es cualquier ataque terrorista. Esto manda a todo mundo a la órbita en los canales de televisión y todos los medios de difusión de noticias de impacto. El terrorismo se ha convertido en otro factor de alto impacto para las economías mundiales.

Por último, las decisiones que se toman en la Casa Blanca (casa del presidente de los Estados Unidos y un símbolo de poder ejecutivo, legislativo y militar en todo el mundo) también tienen mucha influencia sobre lo que sucede con la economía que ahora parece estar totalmente conectada a nivel mundial.

El crudo, el dólar, la oferta y demanda, el terrorismo y la Casa Blanca son factores que sabemos que son de alto impacto porque hemos escuchado de eso desde chiquitos, ¿a poco no? Ahora, quiero decirte cómo estos factores afectan tus finanzas personales. Quiero darte uno de los secretos más importantes en finanzas personales. ¿Estás listo para transformar tu vida financiera para siempre? Todos estos factores no tienen impacto alguno en tus finanzas personales. ¿Qué, qué, Andrés? Así como lo lees; estos factores no determinan si vas a vivir en caos o en paz financiera. A mí me gusta decirlo de la siguiente manera: La economía de la Casa Blanca es importante, pero la economía que más te debe importar es la de tu casa. Si tienes las finanzas de tu hogar en orden, realmente no importa lo que suceda en la Casa Blanca, los pozos petroleros de África o la producción china.

Déjame darte un ejemplo. En este momento, la deuda de Estados Unidos acaba de superar los 20 billones de dólares. Billones, (sí, ya sé que los periódicos dicen "trillones", pero es solo una mala traducción del inglés. En español se dice "billones"), son doce ceros, y aquí les va como se ve eso escrito, pues la gran mayoría de calculadoras no tienen suficiente espacio para entrar en billones 20,000,000,000,000, para ustedes los matemáticos, eso se ve así 20^{12}. A pesar de esta deuda masiva o crisis en el presupuesto de los Estados Unidos, hay tanto personas que viven al borde la bancarrota como personas que, con el mismo sueldo, viven en total paz financiera.

Recuerdo claramente el incidente del once de septiembre contra las Torres Gemelas en Nueva York fue un día terrible; sin embargo, al día siguiente, había personas comiendo en restaurantes, llenando sus tanques de gasolina, comprando ropa, pagando por servicios de plomería, arquitectura etc., etc., etc. Dicho de otra forma, el mundo siguió su curso. Tanto Grecia como Puerto Rico han llevado su economía a un colapso financiero total y las escuelas continúan operando y la gente sigue manejando y yendo a los centros comerciales y pagando por los servicios de sus celulares e internet. Es obvio que sí hay personas que son afectadas al perder su trabajo porque los gobiernos se vieron forzados a cortar servicios. Hasta en ese caso, llevar tus finanzas en orden es lo que te trae paz y permite que soportes una situación así, sin perder el sueño; pues tienes un fondo de emergencia que se encarga de darte la esperanza y la paz para pensar y enfrentar las circunstancias y que, además, garantiza que tu familia tendrá lo necesario. En este momento que Puerto Rico tiene un caos financiero a la décima potencia, las personas que tienen algo de ahorros están saliendo de ahí en busca de mejores oportunidades ya que no creen que Puerto Rico se recupere pronto. Uno de ellos es un contador que ha llegado a San Antonio, Texas, y continúa ofreciendo los mismos servicios contables con un nuevo negocio, pero la diferencia es que ahora están llenos de esperanza. Si no hubiera sido por algo de orden en sus finanzas, tal vez no habría podido salir de Puerto Rico donde, básicamente, la esperanza se les ha esfumado a todos. En los momentos de mayor crisis, cuando el dinero escasea, lo que te mantiene a flote es haber practicado los principios que estoy compartiendo contigo en este libro.

"Ay, pobrecito yo" / Mentalidad de víctima

Otro de los obstáculos que más impide que las personas vivan en paz financiera son ellos mismos. Cuando dicen cosas como "pobrecitos nosotros" o "el juego está en contra nuestra", "es imposible salir de abajo", "los ricos cada vez más ricos y los pobres más pobres", "los ganadores ya han sido escogidos y no somos nosotros", (y tengo muchas frases más que también son populares, pero me pidieron que el libro fuera sobre la Paz Financiera y no la psicología popular). Otros dicen "pobre, pero humilde" como si la humildad fuera sinónimo de pobreza. El punto que trato de ilustrar es que con pensamientos así, lo único que hacemos es alimentar una mentalidad de víctima. Y ya sabes, lo que come, crece. "Y, entonces, ¿qué hago?". ¡Pues, no le des de comer! Esta mentalidad la vemos todos los días, en todas partes del mundo, aunque lo digan de otra forma. Escúchame, la prosperidad es para el que la quiera y tenga las agallas para alcanzarla, sin importar dónde viva.

He escuchado varias teorías que justifican esto, pero no dejan de ser teorías que solo le echan más sal a la herida. Por ahí escuché que como Latinoamérica fue dominada por los españoles, nuestra gente tiene mentalidad de siervo. Pues será el sereno, pero como asesor financiero me di cuenta que toda persona tiene, realmente, el mismo potencial que el resto de la gente. Es obvio que las personas que ya acumularon hacen que la vida de sus hijos sea más fácil porque llegan a una mesa servida. Aparte, tienen todos los contactos y los hijos son expuestos a un nivel de educación mundial de primera clase. Pero no debes estar celoso de eso, sino aprender de ellos porque tú harías y quieres hacer lo mismo por tus hijos. En vez de estar envidiando, mejor aprende de las personas que van más adelante que tú. Realmente, tener éxito financiero está al alcance de todos.

Me da tristeza por mis hermanos en la fe que dicen ser hijos del Rey de reyes, pero su comportamiento, vocabulario y acciones no lo demuestran. Si realmente corriera sangre de Rey por sus venas, su actitud sería diferente. No estoy hablando de ser prepotentes, sino de una actitud que refleje un corazón como el del rey David: "si Dios conmigo, quién contra mí". En otras palabras, "tengo el respaldo de Dios".

En los últimos años, me he dedicado a compartir estos principios en público y me invitan a todo tipo de conferencias, eventos, seminarios; también recibo invitaciones de iglesias. He aprendido y he conversado con personas que crecieron en iglesias donde les predican pobreza. Básicamente, les dicen que la riqueza es del diablo y ser pobre es bueno. Ahora, también está el otro extremo, donde predican prosperidad; que básicamente dice que Dios es como una máquina de refrescos que, si tú pones dinero ahí, Él te da lo que tu corazón quiera. Este no es un libro para discutir teología o doctrina, pero el punto es que hay mucha gente que no crece económicamente porque están programados para ser pobres o codiciosos.

Hay otros que vienen de 2, 3, 4 y 5 generaciones de pobreza y es todo lo que han visto, hasta creen que es una tradición. Sin duda, es difícil creer que tú, siendo de una familia así, puedas vivir en paz financiera si hacia el lado que voltees, ves pobreza y familiares que se creen víctimas repitiendo, como borregos, las frases negativas. Fíjate, una persona que invierte $100 dólares mensuales en una cuenta de inversión, desde los 25 hasta los 65 años de edad, termina con $1,176,000 (un millón ciento setenta y seis mil dólares). Más adelante hablaremos de cómo y dónde invertir, pero eso es todo lo que se necesita para romper con las cadenas de la maldición de pobreza que han tenido atada a tu familia. Hasta puede ser que tú seas la persona que emprenda un negocio y llegue al éxito financiero mucho antes. Lo que sí te puedo decir es que, si te vistes de víctima, repites las frases de las víctimas y te quedas como las víctimas esperando a que te den, nunca llegarás. Nadie se quiere asociar ni trabajar con una persona quejumbrosa. No sé si "quejumbrosa" sea una palabra, pero suena feo ¿a poco no?, me refiero a una persona que constantemente se está quejando y diciendo por qué no van a salir adelante.

Entonces, ¿cómo salimos de la mentalidad de víctima? ¿Cómo destruimos esa programación que quizá tu entorno ha marcado en tu corazón? Primero que todo, continúa avivando esa llamita en tu corazón que te llevó a comprar este libro. Si estás leyendo este libro es porque tienes curiosidad de saber si hay algo diferente a lo que, tal vez, has escuchado en tu casa toda tu vida. Te tengo buenas noticias. Sí hay algo diferente. La prosperidad está al alcance de todos los que siguen principios que han pasado la prueba del tiempo. Dicho de otra forma, la prosperidad financiera no es una lotería de Dios. Es más, Dios nos dejó principios donde Él promete bendición para *todos* los que sean obedientes a sus instrucciones.

Uno de esos principios es trabajar más duro que el resto de los que se creen víctimas. Es fácil brillar en el trabajo y ser la persona que se gana la confianza de sus jefes. No se necesita mucho para estar bajo el reflector de los buenos en tu trabajo. Más adelante entraremos en este tema con detalle. Mi propósito en este libro es enseñarte cómo manejar tu dinero para vivir en paz y crecer económicamente, pero la ecuación financiera tiene dos lados: el de los gastos y el de los ingresos. Mi experiencia como asesor me confirma que la mayoría tiene problemas de administración; sin embargo, algunos no ganan con su dinero por la falta de un plan para incrementar sus ingresos.

Hay que trabajar duro y con excelencia; solo los que ejercen la profesión de víctima son mediocres en su desempeño. Así que, a trabajar con ganas, pues es la manera de romper con esa mentalidad. Aparte, llena por dentro porque te da un sentido de logro y crecimiento. No solo te llena de satisfacción sino, también, de esperanza porque te ayuda a levantar la mirada y ver hacia el horizonte y darte cuenta que ya viene tu carrera o negocio. Los que piensan como víctimas ven el trabajo como un mal necesario para vivir. Unos lo ven tan mal que dejan de trabajar y, al igual que esos pececitos que nadan cerca de los tiburones, comen de lo que les sobra a los cazadores. Es muy triste, pero uno lo puede ver cuando gente con capacidad física y mental depende del gobierno o de los familiares. Gente que puede salir a producir, pero cree que el mundo les debe algo, supuestamente, por no haberles dado una oportunidad como se la dieron a los que están ganando con el dinero. La mentalidad de los que se sienten víctimas es que a los que están ganando, alguien les puso el éxito en bandeja de plata. Recuerda, aunque no hayas nacido en cuna de oro, según el estudio que hicieron los autores en el libro "El millonario de al lado" encontraron que el 80% de los ricos son ricos de primera generación. Son personas que empezaron con nada y para antes de morir ya eran ricos. Los que piensan como víctima creen que los ricos son unas cuantas familias y que solo ellos tienen todo. Además, creen que la riqueza es como un pastel y como los ricos ya tomaron los pedazos más grandes, ya no sobró nada para ellos. Una de las mejores ilustraciones que he visto viene de un rabino, Daniel Lapin, que escribió en su libro "Thou shall prosper" [Prosperarás] donde explica por qué los judíos tienden a prosperar. Ellos no ven la riqueza como un pastel sino como un fuego con velitas y que el fuego puede seguir creciendo mientras más personas se acerquen con sus velitas. Tú no le estás quitando nada a nadie por encender tu velita ni alguien más se quedó sin comer pues no es un pastel sino un fuego que calienta a quien se acerque.

Otro principio que rompe con la mentalidad de víctima es la administración. Es difícil salir de las nubes de la escasez mientras no hay administración. Vivir sin administrarte, es como manejar en la neblina. No puedes ver más allá del pago de la luz, el agua y la casa. Para mis hermanos de la fe, cómo quieres que Dios te bendiga con más si no te puedes administrar con lo que ya te ha dado hasta ahora. Hasta que no aprendas a administrar esto, no te va a mandar más. Vive como un buen administrador para experimentar su favor. Básicamente, la parábola de los talentos o monedas de oro dice que al buen administrador más se le confía. Con solo juntar los $1,000 dólares del primer pasito rompes con esa mentalidad de víctima porque te estás demostrando que sí es posible salir de la pobreza y callarles la boca a esos que presumen de ser víctimas y que solo son pura queja.

Inmadurez

Cuando pienso en la inmadurez se me viene a la mente un niño chiflado que hace berrinches por todo lo que se le antoja. Me imagino que tú también piensas lo mismo cuando ves niños así en el piso de la tienda, pecho a tierra, revolcándose en un charco de lágrimas, gritando a moco tendido "lo quiero, mami, por favor, lo quiero" y pataleando porque quieren ese juguete. Ahora, como padre, veo a la mamá y me da pena por ella, pero al mocoso me dan ganas de darle unas nalgadas para que llore por algo. Así, la próxima vez que empiece a echar a andar motor (guaaa, guaaa, guaaa) se acuerde que eso provoca dolor en el trasero. Este niño puede tener 7 años o 36 o 55. El de 7, quiere un carrito y el de 36, quiere una gran camioneta, con rines cromados 22" y un estéreo que se escuche en toda la manzana. No importa la edad que tengamos, todos traemos a ese niño por dentro. Es cierto, a medida que crecemos maduramos en muchas cosas, pero todos tenemos ese algo que despierta al niño y el echa el motor andar. Tal vez tu niño se despierta con los carros y cada vez que pasa el que te gusta, tu esposa te dice "límpiate la baba, no te vayas a manchar la camisa nueva". Tal vez tu niña se despierta con una bolsa de piel, hecha a mano, de esas que son muy caras, y cuando entras a la tienda es como un hoyo negro donde el tiempo no corre y tu esposo te tiene que sacar a puros jalones. Lo que despierta al niño interior son aquellos juguetes que te hacen gastar lo que sea con tal de tenerlos. Desde teléfonos inteligentes y zapatos de moda hasta casas de descanso, botes de lujo y el famoso "spa" te hacen olvidar que hay responsabilidades y prioridades. Este niño llamado *inmadurez* todos lo llevamos por dentro y si tú permites que él tome decisiones por ti, siempre vas a estar ruina.

Cuando el "niño" se quiera despertar, tienes que darle unas cachetadas guajoloteras y ponerlo en su lugar. No me malinterpretes, ni creas que te estoy diciendo que nunca puedes comprarte algo. Lo que estoy diciendo es que tienes que dejar de hacer gastos a lo loco. Estos gastos por impulso son los que te van a impedir acumular riqueza y proveer educación para tus hijos. Podrías pensar que existen "métodos" para calmar a este niño. Métodos que "ayudan" a que no se frustre. Tienes razón, todos los bancos cuentan con ese instrumento de plástico que, según tú, calman al muchachito. Les llaman "tarjetas de crédito". Si quieres saber de lo que es capaz la energía de tu niño interior cuando está bien canalizada, échale un vistazo a los edificios de los bancos. Mira la calidad del papel que usan para mandarte los anzuelos —perdón— las cartas de invitación. ¿De dónde crees que sale todo eso? ¿Quién lo paga? Tu niño berrinchudo.

Ahora bien, cómo lidiamos con la inmadurez. Con mucha psicología y amor, para que "la nena" no se frustre. ¡Ja! No te creas, vamos a lidiar con esos gastos por impulso con un presupuesto. Más adelante te voy a dar en detalle cómo hacer y cómo vivir bajo un presupuesto. ¡Epa, no te me espantes! No te preocupes, en ese presupuesto vamos a incluir lo suficiente para que el niño salga a jugar de vez en cuando. Eso de tener orden en tu vida no es un castigo; se trata de disfrutar, pero en paz. Recuerda, lo que estamos tratando de alcanzar es la paz financiera. Cuando la gente me pregunta, "¿por qué no gano con mi dinero?", las razones pueden ser varias, pero la inmadurez siempre forma parte de mi respuesta. Vamos a cubrir muchos temas en este libro, pero este es uno de los claves porque si nunca logras vencer la inmadurez, no importa qué tanto te pueda enseñar sobre las inversiones pues nunca llegarás al Pasito #4 del plan financiero.

Una de las mejores definiciones que he escuchado sobre la madurez es aprender a postergar la gratificación. La escuché de Dave Ramsey y se me quedó grabada inmediatamente. En otras palabras, tenemos que aprender a decir *no*. Vivimos en una cultura donde esta palabra —simple y corta— ya no existe. Se ha dejado de usar porque pensamos que vamos a ofender o lastimar a alguien, que se necesita ser valiente para usarla y más aún para respetarla. Pero el que logre volver a insertar esta palabra a su vocabulario, tiene el poder de acumular riqueza. La palabra *no* tiene un poder libertador inexplicable. Si no me crees ponla a prueba hoy mismo. La próxima vez que te inviten a algo y no quieras ir, di *no*. Pruébenla en la casa. La próxima vez que tu hija te diga, "¿papi, me das $20 dólares para ir al mall?", solo dile *no*. Si te pregunta, "¿papi me prestas el carro para ir a dar una vuelta con mis amigas?", solo dile *no*. Vas empezar a disfrutar la libertad, pero ten cuidado y pon atención a lo que te pregunten porque tal vez puede ser tu esposa la que diga: "viejo, ¿me veo delgada en este vestido?" ¡Cuidado!, la falta de atención te mete en problemones.

Estados Unidos no le ha dicho que *no* a nadie, y en este momento tiene una deuda externa de $20,000,000,000,000 (veinte billones) y si no logran aprender a decir *no*, en unos años estará sobrepasando los 20 billones de dólares. En el año que estoy escribiendo este libro, el ingreso de Estados Unidos es de 2.6 billones por año, pero está consumiendo 3.9 billones por año. Pa' hablarles en ranchero y que me entiendan, porque no creo que nadie pueda comprender cuánto dinero significa esto, sería como una familia que gana $40,000 por año, pero está consumiendo $60,000 y ya tienen una deuda de $260,000. Lastimosamente, hay familias que han sobregastado a estos niveles y, por supuesto, hay consecuencias a tanta inmadurez. Así que no importa si se trata del país más rico del mundo o de una familia, el país termina explotando de adentro hacia fuera y logran autodestruirse, al igual que la familia que pierde el carro, la casa y eventualmente el matrimonio. Las consecuencias de la inmadurez son la destrucción total.

> Todos llevamos por dentro un niño llamado inmadurez y si tú permites que él tome decisiones por ti, siempre vas a estar en ruina.

A lo largo de este libro vas a descubrir nuevos comportamientos para lidiar con la inmadurez. Empieza por aprender a decir *no,* y no permitas que tu niño interior tome decisiones por ti.

El papá de un amigo trasladó a su familia a un barrio distinto

Un amigo me contó que su papá decidió, a propósito, vivir en barrios de gente norteamericana para que sus hijos crecieran con otra mentalidad. Él no quería que sus hijos crecieran con esta mentalidad de víctima. Dice mi amigo que llegó a resentir a su papá por ponerlo en estos barrios donde, al principio, se sentía fuera de lugar. Sin embargo, al poco tiempo, todos los vecinitos eran buenos amigos y formaron vínculos tan fuertes con los padres de ellos que se volvía muy difícil cambiarse de casa.

Estoy harto de ver a nuestra gente sufrir. Estoy harto de ver cómo salen de las llamas para caer en el fuego. Cuando empecé con esto, sentí la mentalidad de víctima en nuestro pueblo como un choque de frente y dudé que fuera posible ayudarles porque es casi cultural. Sin embargo, me di cuenta de que todos llevan por dentro esa llamita de libertad y el anhelo por salir de la vida de excusas y victimismo, y ahora, veo mi propósito como la persona que anda echando gasolina donde la dejen. Yo tengo el sueño de que nuestra gente va a cambiar y de que vamos a ser un orgullo donde sea que estemos parados. Vamos a ser gente productiva, no vamos a estar succionando al gobierno, sino empujando con el resto para que las personas, que realmente lo necesitan, tengan apoyo. Tu tarea es vivir los principios de este libro para que tu ejemplo atraiga a muchos otros. El compromiso que te pido es que cuando alguien te pregunte, "¿cómo le hiciste?", te tomes un tiempo para conversar con esa persona y enseñarle lo que te ha llevado a la paz financiera. Rompamos con la mentalidad de víctima, un pueblo próspero está formado por muchas familias, no solo la tuya.

Finanzas personales

Sigamos entrando en el verdadero mundo del dinero. Las finanzas personales son más personales que finanzas. Muchos creen que todo va a cambiar con solo aprender una ecuación matemática o esa técnica presupuestaria. Nada cambiará. Es más, ayer me llamó una dama al show que tiene un ingreso mensual de $6,000 dólares y está batallando para pagar $1,200 dólares por su casa. Cuando le pregunté sobre sus ingresos y su carrera, con mucha pena me dijo que es economista. El que tú sepas mucho de números…, es más, aunque seas un contador, eso no evita que fracases con el dinero. La fórmula para el éxito en las finanzas es 20% conocimiento y 80% comportamiento. Según esta fórmula, aunque nunca aprendas sobre seguros, inversiones y cuentas para jubilación, puedes terminar con más que aquellos que, supuestamente, son expertos. No estoy diciendo que no inviertas en ese 20% de conocimiento, estoy diciendo que aprender a decir *no* cuando no hay, te ayuda mucho más que ser un profesor de economía. Con frecuencia, a mi oficina llegaban personas que querían reunirse conmigo y comparar inversiones. Parecía que me querían comprobar que sí sabían mucho de finanzas pues traían una lista, bien organizada, de sus deudas y porque no estaban pagando más del 20% en sus tarjetas. ¿De qué sirve que sepas todo sobre los costos internos de una inversión cuando tienes 40 años de edad y tu patrimonio tiene el valor neto de dos cacahuates, por no decir que estás al borde de la quiebra? Perdóname y no te ofendas, pero tú no sabes nada de finanzas. Tienes 20 años trabajando y han pasado por tus manos $800,000 dólares ($40,000 x 20 años) y no vales ni dos cacahuates. Esto es lo que empezaba el proceso para sanar sus finanzas. ¿Que si no me hubiera sentado con ellos y quitarles el velo? ¿Que si siguen así por toda si vida laboral? Según ellos todo está bajo control porque pueden hacer todos los pagos, pero la meta no se trata de solo sobrevivir.

Las finanzas personales tienen que ver más con tu carácter, madurez y disciplina que con tu conocimiento económico o de productos financieros. Es más, tener fuertes ingresos no es señal de que eres una persona sabia, pero una buena cuenta de banco sí. Una persona puede tener mucha iniciativa en su trabajo o un corazonzote para sus clientes y generar buenos ingresos, pero si gasta más de lo que gana, siempre vivirá en el filo de la navaja financiera. Es casi igual a caminar en una cuerda floja: con un mal paso te vienes abajo, y como no hay ahorros, es como no tener una red donde caer antes de convertirte en tortilla al chocar contra el piso. Lo que estoy diciendo sobre finanzas personales se puede resumir de la siguiente manera: si yo lograra meter en cintura a este tonto que me saluda en el espejo todas las mañanas, estaría más delgado y tendría más dinero ¿a poco no?

Aunque conozco muy bien el mundo de los productos financieros, he aprendido que lo que transforma la vida financiera de una persona o una familia es un cambio de comportamiento. Como te dije antes, ve y busca más conocimiento, pero los resultados los obtendrás al dejar de comportarte como un niño inmaduro y convertirte en un adulto responsable. Mi objetivo en este libro es darte los tres pilares de las finanzas personales y, junto con eso, las herramientas para poder hacerlos funcionar. Te daré un ejemplo de esto. En mi última conferencia, pedí que levantara la mano quien creyera que el ahorro es importante. Te puedo decir que un 99% de la gente levantó la mano. Sin embargo, las estadísticas muestran que un 50% de la gente no tiene ni $1,000 dólares ahorrados. Hay incongruencia entre lo que sabemos y lo que hacemos. Más adelante te diré el secreto del ahorro, pero el punto es que la gente sabe lo que debe hacer, pero no lo logran porque, como te dije al principio de esta sección, las finanzas personales son más personales que finanzas. Antes que nada, para tener mejores finanzas tienes que estar expuesto a una fuente de información que te muestre una vida diferente. Muchos de los que escuchan el show por primera vez, sencillamente, no habían escuchado algo así antes; especialmente si viven en una comunidad donde hay gente que se cree víctima. Después de digerir eso, necesitas el cómo y por qué hacerlo. Mi meta con este libro es que, cuando termines de leerlo, sepas qué y cómo hacer para que tu vida financiera sea diferente en 30 días.

"Andrés, pero lo que tú recomiendas es muy difícil".

He aprendido que, si logro ayudarte a dar el primer paso, ese triunfo aviva la llama que llevas por dentro y se convierte en el impulso para dar el segundo y después el tercero; ya para el cuarto paso, vas en acelerador automático. Pensar en siete pasos puede ser agobiante para algunas personas, así que nuestra meta es que des tres pasos. Si das esos tres pasos, tu vida será totalmente diferente en solo 30 días. "Pero, Andrés, los que nos vas a recomendar va a ser bien difícil". (¡Grrr! Pasito #0: quitarse el disfraz de víctima y ponerse ropa de deportista). Ni te he dicho el plan y ya estás protestando. Mi pregunta para ti es: ¿qué es más difícil, esforzarte en hacer unos cambios o vivir toda tu vida a duras penas pagando la luz? Te mentiría si te digo que va a ser fácil, pues si lo fuera, todo mundo escogería vivir en paz financiera. Nadie, en su sano juicio, escogería el caos y estrés financiero si esto fuera tan sencillo como tomar decisiones. La verdad es que muchos viven en un desastre financiero porque nunca han escuchado algo diferente. Voltean a todos lados y casi todos andan igual. Es divertido darle con el machete a la inmadurez y la falta de carácter, pero he aprendido que muchos, simplemente, no habían escuchado algo así. Tú ya no eres de ese montón porque ya entraste en acción al tener este libro en tus manos. Ahora, continúa estando en acción para que darle un giro a tu vida financiera se haga realidad. No es fácil, pero vale la pena. Esta es una pelea que vale la pena luchar. Una vez más, no es fácil, pero te garantizo que vale la pena. ¡Y de qué manera!

El tema del dinero es uno de los más estresantes para todos en todo el mundo. ¿Cómo sería tu vida si el dinero no te causara estrés? ¿Te imaginas? Hasta tus oraciones cambiarían. Cuando vives en el filo de la navaja, todas tus oraciones a Dios involucran al dinero. "Señor, Señor, Señor, sácame de esta por favor. Señor mándame un milagrito". Yo me imagino que Dios está "ummm, otra vez la burra al trigo". Te aseguro que, si pones en práctica lo que vas a aprender en este libro, tus oraciones van a cambiar. Pon atención a lo que eres hoy y cómo serás en 30, 45 y 60 días. Vas a pasar de "sácame de este hoyo" a "gracias, gracias, gracias por darnos principios para vivir en paz. Gracias por tu provisión fiel, abundante y permanente para nosotros". ¿Sabes qué? Te sugiero que hagas una descripción de ti mismo en este momento. Incluye dónde estás financieramente, cómo te sientes, qué problemas te agobian en el tema del dinero, cuál es la relación con tu familia, etc. Ese será tu retrato financiero, tu versión de "antes". Ya llegará el momento de que hagas la versión "después".

Difícil es bañarse con agua fría, difícil es levantarse antes de que amanezca, difícil es comer solo verduras y caldo de sal (agua caliente con sal), difícil es que te acosen los cobradores en vez de que te visiten tus amigos. Tienes que dar este paso, tienes que hacerlo. Esto hará que tu vida mejore, eso incluye tu autoestima, tus finanzas y hasta tu matrimonio. ¿Te imaginas? Recuperar el respeto y la admiración de tu esposa y tus hijos. Convertirte en un líder en tu trabajo y en tu comunidad. Ser reconocido por ser un hombre de principios y de palabra. Desde mi punto de vista, no hay alternativa, esto es algo que tienes que hacer. Cómo me gustaría que hubiera un aparato que se pudiera conectar al corazón y al cerebro de los que ya viven en paz financiera para que entendieras lo maravilloso que es esto. Si pudieras, por unos días, vivir la vida de una persona que practica estos principios, te daría coraje de no haber aprendido esto antes. Te daría rabia por los años que has perdido viviendo de la misma manera cuando podrías haber vivido de esta otra manera.

El plan para los próximos 30 días

Son tres cosas las que hay que lograr en las próximos 30 días para que tu vida sea muy diferente en cuanto al dinero. Te voy a enseñar otras cosas que te van a ayudar a lograr estos tres objetivos, pero tu enfoque debe cumplir estar tres tareas. Aquí las tienes:

1. Junta $1,000 en 30 días (diferente para otros países)
2. Hacer y vivir con un presupuesto
3. Si tienes deudas, empieza tu plan para salir de ellas

Estos son los pilares de las finanzas personales. El invertir y comprar una casa que no se vuelva una pesadilla son derivados de estos tres pilares. La gran mayoría de la gente no practica estos principios y, por eso, hacia donde mires, todos andan igual: como zombis financieros; están vivos, pero dormidos en cuanto al dinero. Ahora que estés expuesto a esto, tú serás diferente porque es como tener el antídoto para dejar de ser un zombi. Hay poca gente que tiene este antídoto y por eso están donde están. Ahora tú tendrás la receta para llegar a donde están ellos.

> Si haces lo que hacen los ricos, te vuelves rico; si haces lo que hacen los pobres, te vuelves pobre.

Anteriormente te mencioné que todo el plan financiero consta de siete pasos, pero el enfoque para cambiar en 30 días está en estos tres. Ya verás cómo el aprender y encaminarnos en los primeros pasos será el impulso para alcanzar los que vienen después. Te voy a confiar algo, a mí no me gusta leer libros gruesos. Los he leído, pero prefiero algo que vaya al punto. Mi meta es que este libro no venga con tanto rollo y que cada página te dé algo de valor y más valor y más valor, página tras página, para ayudarte a dar los pasos y lograr estos cambios en los próximos 30 días. Siendo como soy para leer, quiero que este libro sea algo que puedas leer rápido, pero que desate dentro de ti a una bestia para las finanzas *Agrrr*. Quiero que puedas terminar este libro convertido en un gigante del dinero que sabe qué hacer y cómo hacerlo. Es obvio que el motivo también es importante, pero me imagino que ese coraje ya te está empezando a hervir por dentro. Realmente, la meta más importante es que tu vida financiera sea diferente en 30 días. De veras me gustaría escuchar de ti y que me digas cómo te fue. Estoy muy al pendiente en las redes sociales y también tengo una página donde me puedes escribir tu historia.

Me habló una persona al show y me dijo que su compadre le dijo, "noto algo diferente en ti". Le dijo que han venido poniendo en práctica lo que enseña el Machete de la radio y ahora están sin deudas, con ahorros y listos para comprar casa. Me contó que cuando se lo dijo, no le creyó. Es más, dijo que se puso medio bravo, pero continuaron conversando y al final de la noche decidió hacer unos cambios. El compadre dijo: "he intentado de todo y ya me resigné a que así es la vida", pero estoy dispuesto a probar con esto que enseña el Machete. Esta persona me dijo que, después de cinco días, volvió a ver a su compadre y que él le dijo que había cortado las tarjetas y que había hecho cálculos. Con mucha alegría le dijo que, si todo iba como planeado, iban a salir de todas sus deudas, excepto la casa, en un año. Dice que, así como en las películas, se le vio una luz en sus ojos y hasta una chispa en sus dientes, como en los comerciales de las pastas dentales, a pesar de que tenía los dientes amarillos. Ahora, es tu turno de vivir esto.

3

El ahorro

El ahorro

¿Qué onda con eso de los ahorros? Por qué se nos dificulta tanto ahorrar. "Andrés, yo voy a ahorrar cuando me aumenten el sueldo". Discúlpame, pero tú no vas a ahorrar cuando te aumenten el sueldo. Tú no vas a ahorrar dinero cuando hagas tu último pago de carro. Tú no vas a ahorrar cuando tus hijos hagan su vida. Todos sabemos que tenemos que ahorrar, pero la mayoría no lo hace.

Quiero darte el secreto del ahorro. Este es el mismo principio que lleva una persona común y corriente a convertirse en millonario. Los ricos conocen y entienden bien este principio y, por eso, llegan a tener mucho. Aquí te va. Tú vas a poder ahorrar cuando el ahorro, finalmente, se convierta en una prioridad.

Ya que ahorrar nunca tiene prioridad sobre los antojos, la moda o la época, compramos y gastamos todo el dinero para comprar regalos y hacer celebraciones y terminas incluyendo a gente que ni siquiera conoces o a aquellos familiares que no has visto en 17 años, pero que te llaman para decirte que te aprecian mucho y siempre te tienen en mente. En esas épocas es cuando muchos sacan a su Guasón financiero, vestido de Supertarjetazo y se endeudan para comprar cosas.

Las reuniones en familia son buenas, es aconsejable que inviertas tiempo en ellos y los disfrutes. Pero ¿qué ganas al endeudarte por un teléfono inteligente si ahora tu hijo está tan "agradecido" y lo usa tanto, que tú ya no formas parte de su vida? La felicidad y la armonía no se envuelven en papel de regalo; se dan en un abrazo cálido y sincero y se demuestran en un interés genuino por las personas. Así que, de ahora en adelante, ¡invita a toda la familia a una fiesta de "traje"! (Yo, Juan, traje las botanas... yo, María, traje la ensalada..., y así sucesivamente). Esa sí va a ser una fiesta inolvidable.

Los pagos de cualquier cosa que hayas comprado al crédito, en cualquier forma de financiamiento: tarjetas, letras de pago, retiro automático, etc., terminan controlando tu vida y te hacen decir, lleno de convicción: "Andrés, ¡es que no ganamos lo suficiente como para ahorrar dinero!" ¡Eso es más falso que una moneda de 74 centavos! Tú sí ganas lo suficiente para ahorrar dinero, pero aparentemente no estás dispuesto a dejar de gastar en tus antojos, proyectos y buenas intenciones. Con tantos huecos por los que se cuela tu dinero, con razón, *no tienes* dinero. No importa cuánto ganes, tú puedes ahorrar; pero el ahorro tiene que ser una prioridad.

Déjame darte un ejemplo de la fuerza de la prioridad.

> # El secreto del ahorro es que vaya por encima de la pizza, del cable, los restaurantes, las clases de karate, de ballet, etc.

Toño Sindoc, nació en un recóndito lugar de Latinoamérica. Era un hombre muy trabajador y quería lo mejor para su familia. Un día, decidió que ese futuro que esperaba estaba en las tierras del norte, y emprendió el viaje. Al llegar, logró colarse en el país con la ayuda de unos "expertos" en ingreso internacional. Encontró trabajo rápidamente y le echó ganas. Toño Sindoc tenía una profesión y era muy bueno en ella, pero en las tierras del norte piden una tarjetita verde para darte acceso a las bendiciones que fluyen allí. Toño Sindoc llegó a mi oficina para ver cómo podía hacer crecer su dinero. Yo hablé con el Departamento de Migración y me dijeron que si Toño Sindoc pagaba $1,000 dólares —en un lapso no mayor a 30 días— demostraba que el dinero no era prestado, sino que lo había ganado por trabajo o por venta de artículos de su propiedad, ellos le darían la tarjetita que dice que puede trabajar legalmente en esas tierras lejanas. Toño Sindoc abrió los ojos más grandes que un plato y salió corriendo de mi oficina, mientras decía "no tengo tiempo que perder, voy a trabajar y a ver qué vendo, pero enseguida se los traigo; no me tardo, aguánteme ahí tantito". Él sabía que esa tarjetita era su boleto a la libertad y la paz financiera, porque al tenerla podría recibir mejor pago y beneficios por su trabajo, pero especialmente, podía dedicarse a lo que le gustaba hacer. Nadie lo iba a explotar pagándole menos y haciéndolo trabajar más. Ya no tendría que bajar la cabeza y esconderse, ya no se sentiría perseguido. ¡Iba a ser un hombre libre!

¿Crees que Toño Sindoc pueda juntar $1,000 en 30 días —sin pedir prestado— para obtener su permiso de trabajo? Si tú fueras Toño Sindoc, ¿qué harías para juntar $1,000 dólares, en 30 días, sin pedir prestado?

A veces, el sueño de ser libre no te estimula tanto porque desconoces las oportunidades que hay detrás de esa libertad. No me alcanza este libro para escribir el impacto que eso causa en tu vida, carácter, familia, etc. Pero te lo voy a describir así: tiene tanto impacto como una explosión nuclear y alcanza a muchas generaciones después de ti.

Estoy seguro de que ahora, el ahorro dejó de ser un sueño o una buena idea y se ha convertido en una prioridad en tu corazón. Recuerda, "se hace camino al andar…", así que, no te quedes ahí sentadote. ¡Manos a la obra!

Este es el secreto, cuando el ahorro va por encima de la pizza, del cable, los restaurantes, las clases de karate, de ballet, etc., es cuando la gente finalmente logra tener ahorros. El ahorro nunca sucede por accidente o porque hayas entendido una ecuación matemática o porque estás esperando que te sobre después de tus mil gastos. En mis conferencias pregunto, ¿Quién sabe que el ahorro es importante? y casi siempre el 100% de la gente levanta la mano. Todo mundo sabe que debe ahorrar, pero nadie lo hace. Ya hablamos que esto tiene más de personal que de finanzas. Ya sabes el secreto que es darle **prioridad**. Ahora quiero compartirte las tres razones principales para ahorrar.

Ahorro para emergencias

Primero: Emergencias.

Recuerdo a mi abuelito decir, "ya huele a tierra mojada, prepárense, ahí viene la tormenta". ¿Qué hace uno cuando le agarra el agua? Bueno, los que están preparados traen consigo un paraguas. Mientras todo mundo anda corre y corre buscando refugio, el que tiene el paraguas sigue adelante sin mucha corredera. Puedo decirte que, según las estadísticas, toda persona tiene un problema financiero grave cada 10 años. Es decir que, si no te ha pasado nada grave, en 8 años, con un costo de $5,000 dólares o más, prepárate porque ya te va a tocar. "Andrés, pensé que eras más positivo". Estoy siendo positivo, te digo que va a llover y que no te vas a mojar, siempre y cuando estés preparado. Mira, te lo digo de otra manera: si estás respirando, te aseguro que te van a surgir gastos inesperados. Si tienes más de 10 años de vida, sabes que las emergencias suceden, la diferencia está en qué tanto drama va a llegar a tu vida cuando lleguen estas tormentas.

Para ser más claro, te daré unos ejemplos con efectos especiales, pon atención: se descompone la transmisión de tu auto, ¡ca-chin! (sonido de máquina registradora). Se enferma alguien en tu familia, ¡ca-chin! Se muere un familiar y todos tienen que cooperar para el entierro, ¡ca-chin! Pierdes tu trabajo, ¡ca-chin!, ¡ca-chin! Tu hijo avienta tu celular en el baño, ¡ca-chin! "No, Andrés, no es 'ca-chin', ¡pero a 'ca-chin' le van a zumbar los oídos de las cachetadas que le voy a dar!".

Estas cosas suceden y no avisan ni piden permiso. Son como ese familiar que llama cuando ya está en la puerta de tu casa y te da la "sorpresa" de que viene a quedarse a tu casa con sus seis hijos, dos perros y un gato por una semana.

He aprendido que este tipo de gastos sorpresa mete en problemas a muchas familias. Para unos no son los gastos de cada mes, sino esas patadas que da la vida con gastos inesperados. Lo peor es que como casi nadie tiene dinero para las emergencias, terminan usando una tarjeta de crédito o algún tipo de préstamo. Los mandilones todavía acuden a su mami para que los saque del hoyo… una vez

> **Acudir a una tarjeta para solucionar el gasto sorpresa es como poner la cabeza en la guillotina y estar agradecido porque tuviste donde recostarte.**

más. Acudir a una tarjeta para solucionar el gasto sorpresa es como poner la cabeza en la guillotina y estar agradecido porque tuviste donde recostarte. Ya tienes el gasto encima y aparte tienes que pagar intereses. ¡Qué feo!

Entonces, ¿cuál es la solución para esos gastos inesperados? Hay un proverbio en la Biblia que dice "En casa del sabio abundan las riquezas y el perfume, pero el necio, (una versión dice *el tonto*), todo lo despilfarra" (Prov. 21:20). Si lo ven, aquí dice que en la casa del sabio hay ahorros. Lo interesante es lo que no dice porque no dice: "en casa del rico o en casa del que gana mucho" hay ahorros. Dice, claramente, en casa del sabio hay ahorros. En otras palabras, el que tiene ahorros es sabio y el que se gasta todo es un tonto. Si tú vives hasta el tope y no tienes ahorros eres un tonto. Si te sientes ofendido, háblale a Dios porque Él fue quien lo dijo. Esta vez yo solo les estoy pasando el mensaje de gratis. La manera para tener ahorros es no vivir hasta el tope. Los ahorros no suceden porque vendiste algo que te dejó dinero o porque lo obtuviste de alguna otra forma. Si vives hasta el tope, ese dinero también te lo vas a consumir. El que tiene ahorros —y los puede mantener— es el que no se gasta hasta el último centavo de sus ingresos. Si solo esto cambia en tu vida, este libro te ha impactado más de lo que puedes imaginar. Muchas veces, con solo escuchar el principio se empieza a hacer cambios y el ahorro se empieza a acumular. Si en este momento tienes ahorros, considérate sabio. Si no, medita en esto y cambia.

Estamos hablando del fondo de emergencia que es una de las tres razones por la cual ahorramos. Continuemos con esto del ahorro. ¿Cuál es el secreto del ahorro? Emoción enfocada. Deja que te explique. El secreto para ahorrar dinero es que tiene que ser una prioridad y sucede cuando enfocas tu enojo o temor (emociones) en tus decisiones financieras. Tal vez ya estás enojado contigo mismo por ganar buen dinero y siempre estar quebrado. Quizás tienes temor de terminar como tus padres que dependen del gobierno o de ustedes, los hijos. Lo que sea, pero enfoca tu enojo en el ahorro para, finalmente, tener un fondo de emergencias.

Pregúntate: "¿Cuál pago es más importante?, ¿a quién debo pagar primero?" ¡Después de darle a Dios, págate a ti mismo! Hasta que aprendas a dar a Dios primero, luego a ti mismo y, finalmente, todo lo demás, podrás ahorrar dinero. Esta es una de las razones principales para acumular riqueza. Tal vez ya habías escuchado esto de pagarte a ti mismo; pero si no tienes ahorros, no lo captaste. Ya es hora de que esto baje de tu cerebro hasta tu corazón y que cause un cambio para que puedas tener ahorros.

¿Qué tal si se enferma un familiar muy cercano y quieres pasar unos días con él? Si no tienes un fondo de emergencias, no vas a poder. La falta de ahorros te obligará a seguir trabajando porque necesitas esos ingresos para sobrevivir. Si nada grave te ha sucedido, sé que es difícil para ti creer que ese gasto inesperado va a llegar, pero créeme, llegará.

Recuerdo cuando mi esposa me llamó y me dijo que tuvo un accidente. Zaira, mi esposa, me dijo que accidentalmente le pegó a una de esas banderillas de seguridad que bloquean el paso vehicular y que, cuando se levantan, permite que sigas adelante. Le pegó y la quebró. Recuerdo, claramente, que mi reacción fue distinta. Antes de ese momento, toda emergencia significaba una crisis financiera. Mi reacción típica era: "¡Oh no!, ¡cuánto va a costar eso!", pero esta vez mi reacción fue diferente. Tan diferente, que, días después, mi esposa me dijo que tardó en llamarme y contarme lo sucedido porque sabía que yo me le iba a ir encima como un perro pitbull (metafóricamente hablando). Cuando finalmente se armó de valor y me llamó, se sorprendió de que mi reacción fuera, "¿Cómo estás mi amor? ¿Te lastimaste? ¿Estás bien?". Ella se quedó boquiabierta viendo el teléfono y dijo, "¿quién eres tú y qué hiciste con mi marido?". Por primera vez, no empecé a ladrar: "¡¿qué hiciste?! ¡¿Por qué no te fijaste?! ¡¿Tienes idea cuánto nos va a costar eso?! ¡Ya sabes que no tenemos el dinero!". Lo que dije después, y por primera vez, lo recuerdo como si fuera ayer: "No te preocupes, tenemos un fondo de emergencias. Pregunta cuánto cuesta repararlo y págales. Lo más importante es que tú estás bien". Ahhhhh, por primera vez experimenté la paz financiera que trae el tener un fondo de emergencia. Lo que hubiera sido una crisis financiera fue como una mosca que escuché zumbar en mi oído y me la sacudí de la cara.

Cuando no hay un fondo de emergencias, tu vida suena como una canción de *Paquita, la del barrio*, por si no la conoces, canta de puro dolor y puro sufrimiento. Todo es crisis, es como vivir en una burbuja de problemas. Otros dicen que es como salir de un problema para entrar en otro. Sabes de qué hablo…, de cuando sales de una reparación del carro para meterte a una reparación de la casa; luego, a un problema de salud, después, pierdes el empleo; y encima, se te muere el perro y mejor ya no sigo porque te puedo hacer llorar.

El punto es que ese ritmo de vida es horrible, pero cambia cuando tienes un fondo para las emergencias. Es más, casi te puedo decir que las emergencias dejan de suceder cuando hay un fondo de emergencias. Es increíble, pero hasta las cosas se dejan de descomponer. Cuando no hay un fondo de emergencias te llueve sobre mojado. Te aseguro que alguien sin fondo de emergencias se avienta en un pajar y se clava la aguja. Cuando no tienes ahorros es como si la mala suerte tocara a la puerta de tu casa para decirte que se va a vivir contigo. Cuando ella toque a tu puerta dile: perdona, pero el cuarto de huéspedes está ocupado por *fondo de emergencias* que vino a quedarse permanentemente. Ella te va a decir, "Oh, disculpa, yo pensé que ustedes estaban quebrados". Ahí es cuando tú le respondes: "Estábamos, tiempo pasado; pero *fondo de emergencias* vino a vivir con nosotros. Así que *sácate*, a echar pulgas a otra parte". Desde que conocí a Dios dejé de creer en la mala suerte, pero es una bonita manera de ilustrar lo que sucede cuando no hay un fondo de emergencias. Así que ya sabes, no es problema de mala suerte sino de falta de dinero.

La verdad es que las emergencias van a suceder a pesar de tener un fondo de emergencias, pero cuando hay un fondo de emergencias, dejan de ser emergencias. Un fondo de emergencias minimiza el impacto del imprevisto si esa emergencia representa o implica un desembolso monetario. El fondo de emergencia es lo que conocemos como *colchón financiero*. Aunque seamos personas de fe, la vida patea y esas patadas no pegan tan duro cuando hay un colchón entre tú y la vida. Recuerdo que teníamos una minivan gris que se descompuso. Cuando el mecánico me dijo "es la transmisión" supe que era un gasto inesperado, fuerte. Pero fue como otra mosca que hizo bzzzz bzzzz en mi oído. Claramente, recuerdo haber pensado: "hay que lidiar con esto", pero no fue una crisis financiera, fue más como sacudirte una mosca. Este es el principio: *un fondo de emergencias convierte las crisis financieras en inconveniencias.*

¿Cuánto debemos tener como fondo de emergencias? Qué buena pregunta. Si recuerdas el plan financiero, hablamos del fondo de emergencias en dos de los pasos, en el #1 y en el #3. En el Pasito #1, recomiendo tener $1,000 si vives en EEUU. Si vives en otro país, puedes revisar mi recomendación en la Tabla para mini fondo de emergencia al final de este libro o en la página web: andresgutierrez.com. Si estás haciendo cálculos de intercambio de moneda, debes saber que las cantidades no son equivalentes sino, que tienen que ver con una fórmula financiera. El juntar estos $1,000 dólares es un mini fondo de emergencias temporal. En el Pasito #3, después de pagar todas las deudas, excepto la casa, la meta es juntar un fondo de emergencias equivalente a lo que necesitarías, entre 3 y 6 meses, para cubrir tus gastos mensuales. Sé que suena confuso y como ha habido quienes no lo comprenden del todo, te explico: suma tus gastos mensuales, multiplícalo por tres ($1,500 x 3 = $4,500). Ahora, multiplícalo por seis ($1,500 x 6 = $9,000). Eso quiere decir que tu fondo de emergencia debe ser de $4,500, a $9,000. El Pasito #3 es el fondo de emergencias completo; por eso, al Pasito #1 le llamo "mini fondo de emergencias o fondo de emergencias temporal". La meta es tener esos 3 a 6 meses ahorrados. Sin embargo, mientras salimos de las deudas,

PASITO #1 EN OTROS PAISES

USA	$1,000 Dólares
Argentina	$2,000 pesos
Bolivia	1000Bs Bolivianos
Brazil	R$600 Reías
Chile	$200.000 pesos
Colombia	$600,000 pesos
Costa Rica	15.0000 Colones
Ecuador	$150 Dólares
El Salvador	$150 Dólares
España	€500 Euros
Guatemala	Q1,000 Quetzales
Honduras	3000L Lempiras
México	$5,000 pesos
Nicaragua	C$3000 Cordobas
Panamá	$250 Dólares
Paraguay	500.000 Guaraníes
Perú	$600 Nuevos Soles
República Dominicana	RD$5000
Uruguay	$5000 pesos
Puerto Rico	$1,000 Dólares

necesitamos tener un colchoncito financiero para protegernos de esas pataditas que da la vida. Es más, te puedes proteger del 90% de las patadas con el Pasito #1.

Excepto la compostura de la transmisión o el motor, las reparaciones más comunes las puedes resolver con esos $1,000 dólares. Si tu hijo se pone mocoso, tienes para ir a ver el doctor y para las medicinas. Obvio que $1,000 dólares no te protegerían de una pérdida de empleo o un problema de salud grave, por eso, es importante terminar rápido con los Pasitos #1 y #2. En los primeros tres pasos es donde recomiendo meterle turbo. ¿Qué tanto turbo? Yo recomiendo juntar esos $1,000 del Pasito #1, en 30 días. Sí, ya lo he escuchado: "Andrés, no los he juntado en 6 años y quieres que los junte en 30 días". Al principio me daba temor y hasta un poco de pena decir esto, pero ahora que he visto a muchas familias lograrlo, ya no. Es increíble lo que sucede cuando alguien se enfoca. ¿Te acuerdas de Toño Sindoc?, aquí es donde aplica eso. Haz un plan, por escrito, para juntar tu Pasito #1 en 30 días.

¿Qué tendrías que hacer para lograrlo? Hay tres cosas que puedes hacer. Primero, y lo más fácil, es recortar gastos; gastos no pagos. Si ustedes, como familia, ganan $4,000 mensuales y, en los próximos 30 días, viven con $3,000, juntan sus $1,000. Aunque no es fácil recortar, esto es más sencillo que las siguientes dos opciones porque involucra un menor sacrificio. "Pero, Andrés, ya hemos tratado de cortar gastos y no podemos". Imagínate que te recortan el trabajo y en lugar de trabajar 40 horas a la semana, solo te dan 30. ¿Qué harías si tus ingresos disminuyen en un 25% y no pudieras salir a generar más ingresos? Tendrías que ajustar tu nivel de vida a los nuevos ingresos. Igual aquí, ajusta, durante 30 días, tu nivel de vida y usa solamente un 75% de tus ingresos, así terminarás con el Pasito #1 en 30 días. Imagínate, en 30 días podrás celebrar que ya terminaste con el primer Pasito. Eso es una tremenda victoria, ya que por encima de haber juntado $1,000 dólares, te has comprobado a ti mismo que si te lo propones, lo logras. El impacto para tu vida al disfrutar esta victoria va más allá de solo haber ganado una batalla financiera. Muchas personas que toman control de sus finanzas han logrado tomar control en otras áreas de su vida por estas victorias que hacen que crezca por dentro una sensación de control sobre ti mismo como nunca antes.

La segunda cosa que puedes hacer es vender todo lo que puedas. En este momento, lo más importante es juntar esos $1,000 dólares para terminar con el Pasito #1 en los próximos 30 días. A todo lo que no esté atornillado a la casa, tómale una foto y ponlo en la internet. Es increíble que, lo que tú podrías

> ¿Quieres tener ahorros? Primero damos, segundo ahorramos y vivimos con el resto.

considerar estorbo o basura, pueda ser un tesoro para alguien más. Hagan una venta de garaje y pongan todo, pero todo, en venta. Abran la puerta de su casa y dejen que la gente pase. Tienen demasiados muebles, y la casa más bien parece un laberinto que no te deja llegar a la cocina por un vaso de agua. Esas bicicletas que solo están estorbando, ¡vámonos! Si no tienes una bicicleta, seguro tienes una caminadora que, según tú, era para hacer ejercicio mientras veías la tele. Pooorrr faaavor, esa caminadora de cientos de dólares te sirve para dos cosas: secar las toallas húmedas y romperte el dedo pequeño del pie cuando te levantas, en la noche, a oscuras, para hacer pipí. Tenemos una meta y tenemos los closets y el garaje saturado de cosas. Pongan todo, pero todo, en venta. Es más, deberían vender tantas cosas que hasta los niños se van a esconder, "vente Carlitos, escóndete, porque papá y mamá están vendiendo todo y yo te quiero seguir viendo".

Tercero y último, lo otro que pueden hacer es generar más ingresos. Si están en una situación donde no hay gastos que recortar y si no hay más que vender porque el mes pasado vendiste tu laptop para pagar la luz, tu única opción es generar más ingresos. Puedes entregar pizzas y generar esos $1,000 dólares en 30 días. Pídele horas extras a tu patrón; maneja para Uber; anúnciale a todos en las redes sociales que hoy no tienen que cocinar porque tú estás vendiendo platos de comida. Si te gusta el fútbol, siempre hay ligas que necesitan más árbitros. Si estás casado, platiquen esto porque, durante los próximos 30 días, las cosas serán diferentes porque papá no estará en casa; y, así, hasta los niños sabrán que tenemos una meta por cumplir. Este es el inicio para tomar la ruina por los pelos y sacarla a patadas de la casa.

Hagan un plan por escrito que, probablemente va a incluir una combinación de estas tres cosas, y ejecútenlo. ¿Te imaginas que en 30 días podrás celebrar que ya terminaste con el pasito #1?

El Pasito #1 es el más fácil porque solo son $1,000 dólares, pero al mismo tiempo, es el más difícil. Aquí es cuando vas a confrontar a ese monstruo en el espejo, —te equivocas, no estoy hablando de tu cónyuge ni de tu suegra—, sino de ti. Necesitas verte al espejo, confrontarte y decirte: "mira nada más cómo me tienes, pobre y barrigón…" y ya luego le dices lo que tiene que hacer.

El problema no son los $1,000 dólares, porque ya entendiste que de eso depende el resto de tu vida y que debes juntarlos rápido. El problema es que a los seres humanos se nos dificulta el cambio. Somos criaturas de costumbres y nos es muy difícil cambiar nuestros hábitos. Date cuenta que, sin pensarlo, todos los días manejas por el mismo camino para ir al trabajo, todos los días te peinas igual y, dependiendo del platillo, tienes tu manera de comer. En la iglesia, siempre nos sentamos en la misma silla o por lo menos en el mismo sector. El sacerdote o el pastor —sin tomar lista— puede saber si Carlos y Nora llegaron o no porque está viendo sus sillas vacías. Se nos dificulta mucho el cambio. Recuerdo una vez que

MI PLAN PARA JUNTAR $1,000

El primer paso del plan financiero es juntar $1,000 dólares. Deje de mandar dinero adicional a cualquier otra categoría. Todo el enfoque, durante los próximos 30 días está dirigido a juntar $1,000 dólares. Si su ingreso familiar es menor de $20,000 dólares al año, su meta debe ser reunir $500 dólares.

RECORTAR GASTOS

Si su situación es muy crítica (las necesidades más básicas las cubre con dificultad o no las cubre del todo) es posible que no pueda recortar nada; entonces, tendrá que hacer algo más para juntar sus $1,000 dólares.

Ejemplo de los gastos que puede recortar: restaurantes, entretenimiento, pesca, manicure, peluquería o salón de belleza, celulares, cable, gasolina, vacaciones, fiestas, regalos, shampoo, carnes, electricidad, agua y todo lo que se interponga para cumplir su meta.

1. Restaurantes
2. Vacaciones
3. Shampoo para el perro

"Mientras más gastos recorte, más rápido alcanzará su meta."

VENDER

"Lo que puede ser basura para uno, puede ser un tesoro para otro". Ordene su casa, saque lo que está demás, ya no usa o no necesita realmente y véndalo (se vale sacar todo lo que no esté atornillado a la pared o al suelo y hasta las camas) para empezar a salir de la ruina.

Ejemplo de cómo puede vender esas cosas: venta de garage, eBay, Craigslist, Facebook, etc.
Ejemplo de cosas que puede vender: bote, moto, joyería, herramientas, juegos de mesa, ropa, muebles, electrónicos, perro, gato, perico, etc. ¡No. A sus hijos no los venda, por favor! (No... tampoco a la suegra).

1. moto
2. ropa
3. perico

"Cuando hay dinero, las cosas llegan solitas."

TRABAJO EXTRA

Esto sería lo último que le recomendaría porque la familia siempre debe ir antes que el trabajo; pero, por un tiempo corto, es posible que necesite un ingreso adicional. Converse de esto con su familia para que todos estén involucrados y listos para apoyarle en sus esfuerzos.

Ejemplo: arbitrar partidos, entregar pizzas, repartir periódicos, paquetería, mudanzas, pedir horas extras, ayudante de quien necesite ayuda, limpiar casas o jardines.

1. mecánica
2. vender pasteles
3. limpiar casas

"Hay un excelente lugar para ir cuando estás quebrado, ¡a TRABAJAR!"

cambiaron al director técnico de la selección mexicana de futbol y la gente andaba en las calles protestando. Es difícil cambiar, especialmente, cambiar de hábitos, pero cuando le añades el sentido de urgencia del que hablamos hace rato, lo logras. Este Pasito es el inicio para vivir con un plan financiero y ya comenzaste.

Hoy mismo, no se acuesten sin tener un plan por escrito sobre cómo lograr juntar $1,000 dólares en los próximos 30 días. Este es el plan de acción para este capítulo.

¿Dónde debemos guardar el fondo de emergencias? El Pasito #1 o los $1,000 dólares, puedes ponerlos debajo del colchón, pero te recomiendo que los pongas en una cuenta de ahorros, en el banco. Es importante ganar intereses por nuestro dinero, pero cuando uno tiene solo $1,000 dólares, realmente no importa. Si tu cuenta de ahorros paga alrededor de 1%, eso significa que en un año ganarías $10 dólares en intereses. Nada cambia en tu vida por generar esos $10. Sería un grave error poner el dinero en

> **Una cosa es no poder pagar la luz porque perdiste tu empleo y otra, muy diferente, no tenerlo porque te diste un capricho con ese dinero.**

una cuenta bancaria para ganar $10 dólares al año, si te están cobrando $3 dólares mensuales por manejo de cuenta. Como ves el interés no es la razón por la cual recomiendo poner este dinero en el banco si tienes acceso a una cuenta sin cobros mensuales. La razón tiene que ver más con finanzas personales. Te acuerdas, personales tiene más que ver con el corazón que con matemáticas. Cuando el dinero está en la casa, cualquier cosa se convierte en emergencia. *Ding-dong*. "Aquí está su pizza, señora". "Ay, santísima..., ¡emergencia!, ¡emergencia! ¡Hay que pagar la pizza! Hasta comprar cortinas se podría convertir en una emergencia. Si crees que no puedes mantener dinero en casa sin ser tentado y gastarlo, pon este dinero en el banco. La mayoría de la gente tiende a respetar y dejar en paz el dinero que está en el banco que el dinero que está en casa en efectivo. Para gastar el dinero que está en una cuenta de ahorros tienes que ir al banco y retirarlo. Hoy en día con la tecnología y el acceso a nuestras cuentas con el internet tendrías de todas maneras que mover el dinero hacia la cuenta de cheques para poder hacer compras. Casi nadie tiene sus cuentas de ahorros o *money markets* atadas a su página de internet favorita para hacer compras.

Después de juntar $1,000 dólares, el siguiente paso es salir de las deudas y, ya sin deudas, juntas un fondo de emergencias completo. Recuerda: de 3 a 6 meses de tus gastos mensuales. Más adelante voy a ensenarte a salir de las deudas, pero imagínate estar sin deudas y con control sobre tu dinero. Ahhhhhhh, exacto, esa es la sensación. No, no te estoy metiendo en una *Misión Imposible*. Te aseguro que no va a ser difícil acumular el fondo de emergencias completo cuando veas que solo hay que cambiar el destino del dinero que mandabas a la deuda.

Por ahora no es necesario hablar más del ahorro y del fondo de emergencia inicial. Ya tienes suficiente conocimiento sobre el por qué y el cómo lograrlo. Este es el momento para entrar en acción. Ultimadamente, esto es lo que más cuenta. Puedes tener todo el conocimiento, pero sin acción nada sucede. Por eso hace rato te mencione que la formular para ganar con el dinero es 20% conocimiento y 80% comportamiento. Ya tienes ese 20% de conocimiento sobre el ahorro y es hora de llevar a cabo ese 80% de comportamiento. No seas del tipo de persona que sabe lo que debe hacer, pero no lo hace. Apunta a tener esos $1,000 dólares en los próximos 30 días y dispara.

Compras Mayores

Compra Mayores o Caprichos fuertes del corazón

¿Qué es una compra mayor? Una compra mayor es un refrigerador, televisión, un anillo de compromiso, etc.; es una compra que no se hace todos los meses y que no se podría comprar con el sueldo de un mes después de haber cubierto todos los gastos. Las compras mayores es donde la gente se endeuda con mayor frecuencia y termina en problemas pues *doña Cultura* nos ha enseñado que las compras mayores solo se hacen al crédito.

"Si no tienes el dinero, no lo compres", dijo la abuela. Ahí está el consejo sabio para hacer compras mayores. ¿Cómo se debe hacer una compra mayor? Si no nos vamos a endeudar, entonces una compra mayor se hace con dinero ahorrado que tenemos destinado específicamente para esa compra; es decir, **no** sale del fondo de emergencias. Tal vez estés pensando "hubiera leído este libro el próximo mes después de comprar mi _____ porque ahora me voy a sentir culpable si lo compro a 12 meses, aunque sea sin intereses".

¿Dónde está el peligro con las compras mayores con o sin intereses? Hay personas que no tienen la fuerza de carácter para no gastarse el dinero de la renta o de la luz cuando se les antoja hacer una compra mayor. En otras, palabras, el niño que traen por dentro los domina. Dicho de otra manera: hay un problema de fuerza en el carácter de la persona. Una cosa es no poder pagar la luz porque perdiste tu empleo y otra, muy diferente, no tenerlo porque te diste un capricho con ese dinero. Es tiempo de ser hombres y mujeres de carácter. La Biblia explica esto de una manera muy sencilla. Tu sí debe ser sí y tu no debe ser no. Esto implica fuerza interior, integridad. No solo te ayuda con tus finanzas y las compras mayores, sino también impacta tu carrera y relaciones cuando todos saben que eres una persona de palabra, alguien en que se puede confiar.

Otro lugar de peligro y, el más común para meter la pata con las compras mayores, son los créditos. Tal vez tú no te gastes el dinero de la renta o la hipoteca en un capricho, pero se te hace muy fácil comprarlo a 12 meses sin intereses. Una televisión de $1,200 dólares suenan como mucho, pero no si la pagamos de $100 en $100. Así es como la mayoría justifica una compra mayor cuando no tiene el dinero. Piensas: "no es nada $100 dólares, sí podemos pagarlo". La realidad es que si no tienes $1,200 ahorrados, significa que estás viviendo hasta el tope. Si ya tienes otras deudas, que es lo más seguro, significa que tú ya gastas por encima de lo que ganas. ¿De dónde van a salir esos $100 adicionales? Normalmente, salen de una tarjeta de crédito. Esto es lo que haces: pagas los $100 en efectivo o cheque y "pagas" los abarrotes, o la gasolina, o el seguro del carro con una tarjeta de crédito. Recuerdo estar en el supermercado pagando la comida con la tarjeta de crédito y se me venía un sentimiento de impotencia sabiendo que estaba mal comprar comida con la tarjeta, pero qué vamos a hacer, necesitamos comer. Es difícil pelear contra la justificación de gastar con la tarjeta cuando se trata de necesidades básicas, pero poder cubrir las necesidades básicas es exactamente lo que pones en peligro al hacer una compra mayor. Es más, por la "tele" no te cobran intereses, pero por la comida que pagas con la tarjeta te cobran 20% anual. Si haces números y suponiendo que pagues la tarjeta en un año, la "tele" te salió en $1,440; ($1,200 de la tele más los intereses que te cobró la tarjeta).

Otra vez, compramos una computadora a 12 meses sin intereses. Teníamos una computadora tan viejita que ya no se conectaba al internet. Mi esposa, Zaira, estaba buscando trabajo y ya casi todo, incluyendo la búsqueda de empleo y la solicitud, se hacía por internet. No era un lujo, era una "necesidad" comprar una computadora porque sin ella no se podía conseguir trabajo. No teníamos el dinero y compramos una a 12 meses sin intereses. Es increíble cómo podemos justificar cualquier compra, aunque no tengamos el dinero. "Si no tenemos computadora, Zaira no va a obtener un trabajo y todo será peor". Pagamos $900 dólares, sin embargo, al igual que muchos otros, el último pago no llegó a tiempo o algo pasó que se duplicó el costo de la computadora. Me puse furioso y tan peligroso que pedí hablar con el vicepresidente de la tienda donde la compramos porque se me hacía un abuso lo que había pasado con el costo de la computadora. Luego de escucharme, me dijo —de manera amable, pero firme— que lo sentía, pero que mi firma indicaba que yo estaba de acuerdo con los términos y como no cumplí dentro de las reglas, terminé pagando lo doble. Con mucho dolor en el corazón pagué, pero lo triste es que no aprendí la lección. Más adelante verán otras compras tontas que hice antes de aprender sobre finanzas personales y tener hambre de vivir en paz financiera.

Una adicción a las compras es igual de peligrosa que cualquier otra adicción y comprar a plazo o en cuotas sin intereses es como muchos satisfacen esa adicción.

Dejemos esto bien claro, las compras mayores se compran con el dinero, en efectivo, que tienes destinado para esa compra. Para hablarte en ranchero, no hagas la compra hasta que tengas el dinero. Si quieren comprar una súper aspiradora que cuesta $600 dólares, ¡magnífico!, pero primero necesitan juntar ese dinero. Si no hay dinero para hacer esa compra, metan una nueva categoría al presupuesto, pónganle $100 dólares y, en seis meses, van y la compran. Al escribir esto me sorprende lo sencillo que son los principios para vivir en paz financiera. Lo que complica todo es la tentación de comprar hoy y pagar mañana.

Continuemos con los pasos para hacer esto práctico. ¿Cómo ponemos a ese niño en disciplina cuando se le antoje algo? Empieza por definir qué es una compra mayor. Para unos, las compras por encima de $500 dólares serían una compra mayor; y para otros, $50. Una compra mayor, como dije antes, es una compra que no hacemos todos los meses y que normalmente no tenemos presupuestada. Decide, junto con tu cónyuge, qué es una compra mayor. Recuerda, dos cabezas piensan mejor que una. Para nosotros, una compra mayor es más de $_____.

Repito, no se trata de no hacer ese tipo de compras, sino de razonar la compra y unir fuerzas. Si los dos están de acuerdo que la compra se debe hacer, se hace sin remordimiento porque los dos estuvimos de acuerdo. Si después se dan cuenta que no fue una compra sabia, la responsabilidad es de los dos y aprenden la lección. Muchos de los que hacen esas compras mayores, sin platicarlo con el otro, empiezan una pelea muy fea donde el que no hizo la compra, dice: "bueno, si se gastó eso, yo también lo voy a hacer". Como ves, las finanzas pueden causar mucha división en un matrimonio y aquí esta una prueba. El punto es que ahora son los dos los que están decidiendo y eso los une. Si eres soltero, debes analizar esa compra con una persona a quien respetes y sepas que te ama lo suficiente para decirte la verdad, aunque no te guste, es por tu propio bien. Cuando se te venga un capricho loco, esta debe ser una de esas personas sabias y firmes que te diga, "no necesitas un carro nuevo, solo se ponchó la llanta, repárala y cállate". Aprende a decir *no*, y no permitas que tu niño interior tome decisiones por ti.

Si quieres tener un fondo universitario, hacer un viaje especial, comprar ropa para tus hijos o cualquier otra cosa, ¡nunca es tarde, dale prioridad y empiece a ahorrar hoy mismo!

Acumular Riqueza / Invertir

Acumular Riqueza, Independencia Financiera

Es como hacer tamales con mamá o con la abuela. A pesar de que me encantan los tamales que hace mi mamá, cuando me decían que iban a hacerlos, esas no eran buenas noticias para mí. ¡Qué rico comer tamales! A pesar de tooodo el trabajo que lleva: amasar, limpiar, untar, rellenar, amarrar... era capaz de comerme una docena en tres minutos. Pero mi mamá no podía hacer solo algunas docenas, siempre hacía como chorrocientos mil tamales. Entonces, comíamos tamales desayuno, almuerzo y cena un día y el otro también.

Acumular riqueza es como hacer tamales. Requiere mucho trabajo y esfuerzo; sin embargo, así como te pueden durar un día —si se la das al "niño"—, también pueden durar toda la vida. Para poder acumular riqueza tienes que aprender a pensar a largo plazo. La riqueza no se acumula de la noche a la mañana, requiere constancia. Nadie acumula riqueza solo por acumular. Tiene que haber una razón y esa razón es alcanzar la independencia financiera. No hay más que decir con estas dos palabras juntas. Suena bien sin tener que entrar más a fondo, ¿a poco no? Sin embargo, a fin de darte una imagen de su significado, lo resumiré así: independencia financiera es el punto donde ya no tienes necesidad de trabajar para subsistir. Has llegado a un nivel donde tienes acumulado suficiente como para que los intereses o rentas que genere tu montaña de dinero, propiedades y negocios paguen por tu estándar de vida. Cuando llegas allí, si decides seguir trabajando es solo porque te encanta lo que haces. Y si te aburres, lo puedes dejar más rápido que "inmediatamente". Ya no necesitas recibir un sueldo por tu esfuerzo laboral para poder pagar por tus necesidades y caprichos. Respira profundamente y piensa ¿qué harías si todos los días fueran como sábados o domingo? Ya no tendrías que levantarte temprano y arreglarte para ir al trabajo. ¿Qué harías con todo ese tiempo libre? ¿Cuánto viajarías? ¿Cuánto tiempo pasarías con los nietos? ¿Participarías en una buena causa con una organización sin fines de lucro? ¿Ofrecieras más tiempo como voluntario en tu iglesia? ¿Continuarías trabajando porque lo disfrutas? ¿Te das cuenta de cuántas posibilidades interesantes se abren cuando tienes independencia financiera? Pero cuando no la tienes, solo te quedan dos opciones, continuar trabajando o convertirte en dependiente. Qué triste que la gente trabaje toda su vida y no pueda apartar un poco para tener independencia. Imagínate depender del gobierno o, peor aún, de tus hijos.

La independencia financiera es la meta de todo plan financiero. También es la razón más grande de nuestra planificación. No hay nada que tome más dinero que lo que se necesita para jubilarte con dignidad. Cuando hablas con un profesional para hacer un plan financiero, la base es calcular cómo llegar a este punto. Cómo ir del punto A (hoy) al punto B (independencia financiera a cierta edad).

> **Independencia financiera es llegar al punto donde ya no tienes necesidad de trabajar para vivir.**

El monto no es tan complicado de obtener si tienes una calculadora financiera o un programa de computadora para hacerlo. Básicamente, terminas con una cantidad que es lo que vas a necesitar a cierta edad. Ese número te permite calcular cuánto se debe invertir mensualmente en una cuenta de inversión o para la jubilación.

Yo recomiendo que te reúnas con un profesional financiero porque cada caso es único, aunque la base de cálculo sea la misma, los anhelos de cada uno son diferentes. Sin embargo, he hecho estos cálculos tanto, que puedo darte una

EL IMPACTO DE LA INFLACIÓN SOBRE EL PODER DE COMPRA

Hipoteca de $100,000

	1962	2011	Tasa de Inflación
Barra de chocolate	$0.05	$1.00	6.13%
Refresco/gaseosa	$0.25	$2.00	4.25%
Tasa de café	$0.15	$1.40	4.57%
Periodico	$0.07	$2.00	6.86%
Galon de leche	$0.49	$3.49	4.01%
Galon de gasolina	$0.31	$2.99	4.63%
Cine	$0.75	$7.00	4.57%
Pantalones de mezclilla	$5.00	$50.00	4.71%
Motocicleta	$319.95	$5,999	6.00%
Auto	$2,600	$32,000	5.13%
Casa	$12,700	$150,000	5.05%

Tasa Promedio 5.08%

* Si tuvieras $1000 en 1962, en el 2011 te compraría el equivalente a $83.41.
* Si hubieras invertido $1,000 en 1962 al interés de la inflación, en el 2011 tendrías $11,988.

recomendación general para que tengas una idea de lo que verás al reunirte con un profesional. En el Pasito #4 del plan financiero te recomiendo que inviertas el 15% de tus ingresos hacia esta meta. Esto del 15% no salió de ningún sombrero mágico, sino más bien es un número aproximado para las personas con planes en promedio. Como vieron, esto sucede en el Pasito #4, que viene después del #3. Para que quede claro, no empezamos a invertir para la jubilación hasta tener el Pasito #3 terminado. Invertir es como levantar el marco en la construcción. Aquí es cuando la casa empieza a crecer, pero para que esa casa dure por mucho tiempo tiene que estar bien cimentada. Esos cimientos que no se ven y no son muy divertidos es terminar con los Pasitos del 1 al 3.

Cuando recomiendo que inviertas el 15% de tus ingresos no estoy diciendo que lo ahorres debajo de tu colchón o en la lata de café en la cocina. Tampoco te estoy diciendo que lo pongas en una cuenta de ahorros en el banco. Lo que te estoy diciendo que hagas es que lo pongas en una cuenta de inversión. Para la mayoría de la gente, este libro va a ser la introducción a lo que se considera el "complicado" mundo de las inversiones (taraaán). Y digo "complicado" entre comillas porque no lo es, pero muchos lo hacen complicado para tener el privilegio de poder cobrarte más. La idea básica de invertir es que tu dinero valga más en el futuro de lo que vale hoy. Existe un mal que se llama *inflación* que hace que los precios de las cosas suban cada año. Si tu dinero no crece por lo menos a ese porcentaje, entonces, perdiste dinero o para usar términos que impresionan, *perdiste poder adquisitivo* (poder de compra). Eso significa que tu dinero no comprará en el futuro lo que compra hoy. Es difícil de creer cuando escuchamos a nuestros padres decir: "cuando yo era chiquito, una hamburguesa costaba cinco pesos" o algo por el estilo. Tal vez tu abuelo llegó a decir "yo trabajaba por 50 centavos diarios". Una hamburguesa igual, cuesta hoy $40 pesos. Dentro de 20 años, esa hamburguesa costará $80 pesos; eso es la *inflación*. Se parece a un ladrón que nadie ve ni escucha cuando se mete por la ventana y se roba tu dinero.

Hay alguien más que quiere parte de tus ganancias, el gobierno. En la mayoría de los países, si obtienes ganancias, debes impuestos. Así que no importa si te ganaste el dinero trabajando o por haber hecho una buena inversión, el gobierno quiere una tajada. La inflación y los impuestos dificultan cumplir con el objetivo principal de la inversión que, tu dinero valga más en el futuro. Esto elimina la mayoría de las opciones de depósito que ofrecen los bancos. Además, elimina los bonos pues, históricamente, no han tenido un rendimiento más alto que la inflación y los impuestos.

Por supuesto que esto también elimina la lata de café, la bolsa del saco viejo en el clóset y ponerlo debajo del famoso colchón que ha sido un vehículo de ahorro por siglos y siglos en nuestra cultura. Ahora que digo eso, quiero que visualices algo: el dinero no es para esconderlo (en una lata de café) ni para abandonarlo (en un clóset) ni para que se duerma (bajo un colchón). Tu dinero tiene que trabajar. Por favor, no lo trates como a un niño al que hay que cuidar en tu casa. Eso es muy arriesgado. No hay problema con tener algo de dinero en casa, pero la mayor parte debería estar en el banco o trabajando. Es cierto que necesitamos dinero accesible para emergencias o metas a corto plazo; pero el resto, tiene que estar invertido en cosas que suban de valor con la inflación o, mejor aún, que le ganen a la inflación junto con los impuestos.

¿Te das cuenta que por proceso de eliminación rápidamente borras de la lista lo que muchos consideran inversiones y por eso nunca acumulan lo suficiente para llegar a la independencia financiera? Hay muchos que ahorran toda su vida y terminan con una buena cantidad de ahorros, pero nunca es lo suficiente como para tener independencia. El único vehículo que le ha ganado a la inflación, junto con los impuestos, a largo plazo y de forma pasiva, (lo que significa no le pones esfuerzo alguno, sino solo sigues depositando el dinero) son los negocios. Cuando hablo de invertir en negocios no estoy hablando de la frutería de tu compadre ni del taller mecánico de tu vecino, estoy hablando de negocios multinacionales.

Si viene tu amigo y te dice "vamos a invertir en un restaurante", el nivel de riesgo es exagerado. Lo que significa que, mientras más alto el riesgo, mayor es la ganancia si el negocio triunfa; si no, se pierde. El rendimiento del dinero está en proporción directa al riesgo. Si pones tu dinero en la lata de café, la ganancia es nada porque no hay riesgo, a menos que tus hijos den con esa lata. Si el riesgo de perder el dinero es muy alto, sería como apostarlo en una mano de póquer donde puedes duplicarlo en 5 minutos, pero también lo puedes perder en 5 minutos. Los asesores financieros hablan de riesgo y se refieren a la volatilidad de la inversión. *Volatilidad* es una palabra dominguera para decir que la inversión puede subir o bajar en un plazo corto. Por ejemplo, una cuenta de ahorros tradicional no tiene nada de *volatilidad*, pero invertir en divisas (monedas de diferentes países) es muy *volátil*. Todavía te encuentras con *mensos* que te quieren recomendar que inviertas en dinares, la moneda de Iraq. Te dicen allí tienes la oportunidad de duplicar tu dinero en unos meses. Lo que no te dicen es que también tienes la oportunidad de perder tu dinero en unos cuantos meses. Pero, pase lo que pase, ellos ganan una muy buena comisión.

> No existe el dinero fácil ni el camino corto hacia la riqueza. El que siembra poquito, cosecha poquito.

Otras personas que hablan del riesgo de las inversiones son las personas que nunca han invertido y que no tienen ni idea de lo que están hablando. Escucha a la chismosa de tu comadre decir "yo no invierto porque es muy riesgoso y he escuchado que la gente pierde su dinero ahí". Una vez más, cuidado, no te dejes influenciar por lo pobres. Los ricos se vuelven ricos porque invierten y el pobre se queda pobre porque busca cortar camino, quieren encontrar un atajo para hacerse ricos rápidamente. Tendemos a hacer *gigantes del mal* de aquello que no conocemos y por eso se crea un temor sobre las inversiones.

Hace rato te mencioné que la inversión debe hacerse en negocios. Ningún negocio ha crecido sin riesgo. Todos los negocios, hasta los más grandes del mundo, han experimentado altas y bajas. Pero ¿qué valor tendría tu dinero hoy si hubieras sido de los inversionistas iniciales de una empresa joven como la Toyota? ¿Cuánto tendrías si fueras un inversionista en Apple? Imagínate el rendimiento de tu dinero si hubieras hecho una inversión con la empresa dueña de todos los hoteles Marriott del mundo. O, ¿qué tal la empresa que dio con la fórmula para vencer el sida o controlar los niveles de colesterol? Es infinito el número de ejemplos que podría darte sobre empresas que han crecido y dado a sus inversionistas un rendimiento que no se encuentra en ningún otro lugar.

Ser inversionista o accionista significa que eres dueño y que participas en las ganancias y también en las pérdidas de la empresa. Cuando hablo de invertir en estas empresas multinacionales significa que vas a ser uno de los dueños. Si tú tienes una acción de Coca Cola significa que eres dueño de un porcentaje de la empresa, y todos los años que ellos tengan ganancias te van a mandar un cheque que representa el porcentaje de dueño que eres. Si una acción te hace el dueño del 0.000001% de Coca Cola y ellos generan $2,000,000,000 de dólares en ganancia, significa que el 0. 0.000001% de los 2 mil millones de dólares te pertenece a ti. Por si tienes curiosidad, ese sería un cheque de $2,000 dólares.

Otra manera en que estas empresas te permiten invertir con ellos son los bonos. En vez de ser dueño (accionista), con estos bonos eres el *banco* que les presta dinero y ellos te pagan intereses. Aquí, no participas en las ganancias. Los bonos llevan solo un poquito menos de volatilidad que las acciones, pero el rendimiento histórico ha sido mucho menor. Yo no recomiendo que inviertas en bonos a largo plazo.

Mi propósito es darte suficiente información que entiendas por qué invertir en este vehículo. A medida que empieces a invertir y te asesores con un profesional financiero, él o ella te va a explicar más y entenderás esto más a fondo, pero el objetivo es que termines invirtiendo si quieres que tu dinero tenga mayor valor en el futuro. A eso es a lo que llamamos *que el dinero trabaje para ti.*

Lo bueno de invertir en acciones es que no hay fin. Mientras la gente del mundo tenga que pagar dinero por productos y servicios, las acciones (negocios) van a existir. Puede ser que una empresa se vaya a la quiebra por una mala directiva, por una mala economía o porque cambia el giro del mercado y dejamos de comprar música en CD y la empezamos a consumir de forma digital por medio de nuestros teléfonos, pero por la razón que sea, empresas van a morir y unas nuevas se levantarán. Déjame darte un ejemplo más claro. Si la economía pone a medio mundo en una condición donde ya nadie compra ropa nueva y solo se puede comprar ropa usada, estoy seguro que alguna mente empresarial allá afuera va a tener la visión, el dinero y la iniciativa para encontrar ropa usada y revenderla y ganar muchos millones de dólares. Lo bonito es que tú y yo podemos participar de esas ganancias si la corporación permite al público invertir como accionistas.

Una duda que debes tener en la cabeza es saber cuál empresa o empresas debes comprar. ¿Quién tiene la bola mágica de saber cuál compañía va a prosperar en el futuro? La respuesta es nadie. No permitas que alguien te convenza de lo contrario porque vas a perder dinero. Existen personas que te invitan a seminarios para venderte un curso por $5,000 dólares que te dice cuándo comprar y cuándo salir. Mentira *Jablador* como dicen los dominicanos. Nadie puede predecir el futuro. "Entonces, Andrés, ¿cómo le hacemos?".

Yo no recomiendo que seas tú quien tome la decisión de qué empresa o acción comprar. Para ser bien directo, recomiendo que inviertas a través de fondos de inversión también llamados *fondos mutuos* o, en inglés, *mutual funds*. Un fondo de inversión es donde nosotros depositamos nuestro dinero con el objetivo de obtener un mejor rendimiento. Te doy ejemplo: Pedro invierte $50 por mes, Karina $100, Carlos $10,000 y Nora $250,000; ellos invierten *mutuamente* de ahí viene el nombre de *fondo mutuo*. Los inversionistas están buscando un mejor rendimiento para esa cantidad y el beneficio viene según el incremento del valor de las acciones que se compran con ese fondo. Repito, no eres tú quien escoge dónde se invierte, sino que el fondo tiene un administrador o un equipo de administradores que deciden eso. Eso es todo lo que es. Si el fondo tiene como objetivo incrementar tu capital, ese fondo invertirá el dinero en empresas de mucha calidad donde, por razones de precio, tú solo tal vez no podrías comprar ni siquiera una acción. Sin embargo, un fondo mutuo te acepta como parte de un grupo donde todos, junto con cientos de millones y hasta billones de dólares, pueden participar en el mismo tipo de inversiones a las que solo los ricos tienen acceso. Otra ventaja es que un fondo de inversión diversifica tu dinero inmediatamente. "¿Qué, qué Andrés?".

¡Epa! No te me espantes. *Diversificación* significa que no ponen todo tu dinero en un mismo lugar. Si inviertes todo tu dinero en la empresa McDonald's y McDonald's se va a la quiebra, tú pierdes tu dinero. Pero si cada dólar que inviertes se divide entre 100 o 200 empresas, escogidas por un profesional, en diferentes sectores de la economía, y una o dos o cinco de ellas se van a la quiebra, a ti no te afecta tanto porque solo un pequeño porcentaje de tu dinero estaba ahí.

Pa' que me entiendas mejor, te voy a hablar en ranchero: esto de la diversificación es como el abono, el fertilizante, todo junto, amontonado, apesta; pero si lo dispersas, hace que las cosas crezcan. Doña Tencha, la de la tienda, lo dijo muy claro: "no pongan todos los huevos en una canasta, si se cae la canasta, se quiebran los huevos". Esto de la diversificación es una de las primeras cosas que te enseñan cuando empiezas a buscar inversiones. Hay muchas historias de personas que se convierten en "copropietarias" de la empresa donde trabajaban pues les dan la oportunidad de comprar acciones en su cuenta su jubilación. Parece bueno, pero cuando estas empresas se van a la quiebra y todos tus ahorros están allí, de repente te quedas sin nada. Sigues teniendo las acciones, pero si las compraste por dólares y ahora valen centavos, significa que perdiste mucho dinero. No pongas todo tu dinero en una sola cosa ni en dos ni en tres. Si trabajas para una empresa así, no pongas más del 10% de tu dinero en esa empresa. Ya tienes mucho invertido con ellos con el puro hecho de que tu sueldo venga de ahí.

Volviendo a lo de los fondos, tu dinero esta diversificado desde que entra ahí. Eso no significa que no puede subir y bajar. Cuando la mayoría de los inversionistas se espantan y sacan el dinero, todas las acciones bajan y se refleja en tu fondo de inversión. Pero a largo plazo, invertir en negocios siempre ha sido un buen lugar para poner tu dinero y más cuando tienes la diversificación del fondo. La diversificación reduce el riesgo.

Poner el dinero en fondos de inversión debe ser a largo plazo. No consideres usar un fondo que invierte en acciones para ahorrar para el enganche de tu casa. Ese no es el propósito. Otra ventaja es que este es un modo de inversión pasivo. *Pasivo* significa que no involucra mucho de tu tiempo. Lo único que haces es reunirte con tu asesor y, arrancas. Lo más probable es que el dinero sea descontado/retirado de tus cuentas bancarias y que llegue automáticamente a tu cuenta de inversión. Estas inversiones no necesitan ningún mantenimiento diario o mensual. Eso es todo. Por lo menos una vez al año, reúnete con tu asesor para revisar las cuentas y cómo va todo. Esto no es como invertir en tu propio negocio donde, aparte de invertir el dinero, te creaste un empleo. La idea es automatizar tu construcción de riqueza. Invertir se tiene que volver como pagar por la luz. Nadie dejaría de pagar la luz por salir a comer. Tú no dejarías de pagar la luz, aunque tu hija cumpliera 15 años ese mes. Si no ves las inversiones de esta manera, todos los meses tendrás una excusa para no hacerlo. Ya te mencioné que lo ideal es autorizar que retiren el dinero de tu cuenta todos los meses, es decir, que lo deduzcan automáticamente. Esto te va a ayudar con la falta de disciplina que todos podemos tener al principio.

Te aseguro que vas a necesitar la disciplina porque, al principio, es difícil creer que se pueda acumular tanto invirtiendo de poquito en poquito cada mes. Pueden pasar tres años después que arranques sin que la cuenta parezca que tiene mucho dinero. Albert Einstein dijo que el interés compuesto es la octava maravilla del mundo. Prepárate para entender otro secreto de los ricos.

En cuanto a intereses, solo hay dos opciones o los estás pagando o los estás acumulando. Ganar intereses sería como si dejaras rodar una piedra muy pequeñita, desde la cima de una montaña con nieve. Cada vez que gira recoge más nieve y en cada vuelta recoge más y más nieve. Puede dar 10 giros y no se ve tan grande, pero a medida que se acerca al pie de la montaña, con solo girar una vez recoge más nieve de la que ganó en las primeras 20 vueltas. Hacia el final, ya no es una bola de nieve; más bien como una avalancha. Tienes que tener la disciplina de dejar en paz tus cuentas de inversión a largo plazo y no pares de invertir, aunque en cierto momento parezca insignificante.

Si toda tu vida mantienes un pago de casa, uno o dos pagos de carro, tarjetas de crédito, más lo que debes a tus papás es como si estuvieras debajo de la bola de nieve viene rodando hacia ti. Tú decides si la empujas o te aplasta.

Tabla de interés compuesto

"Observa muy bien la tabla en la siguiente página del poder del interés compuesto."

Si entendiste lo que acabas de leer y permites que baje a tu corazón, después del shock que va a causar en tu cerebro, lo que acabas de ver puede cambiar tu comportamiento. Si eres menor de 25 años, y entendiste solo esto del libro, ya puedes empezar a agradecerme que te haya convertido en un multimillonario. Si tienes 45 años, tal vez se te está retorciendo el estómago y tienes coraje porque alguien no se tomó el tiempo para mostrarte esto antes. Tal vez tengas ganas de hablar con muchos jóvenes y no dejarlos ir hasta que entiendan esto. ¿Te das cuenta cómo se acumula la riqueza? Como puedes ver, esto no es una carrera de 100 metros. Esto de acumular riqueza es más como un maratón. Esta tabla puede terminar con las ganas de buscar atajos hacia la riqueza. No existen. Así es como se hace y está a tu alcance tanto si ganas $1,000 como si ganas $10,000 dólares al mes.

Tengo muy en mente una cliente que quedó como madre soltera desde los 27 años. Ella escuchó el consejo de invertir el 10% de su sueldo en su cuenta de jubilación a través de su empleador. Ella respetaba a la persona que le dio el consejo y empezó. Me contó que infinidad de veces quiso hacer cambios y dejar de invertir ahí, pero siempre recordaba ese consejo de nunca cambiarlo. Me dijo: "Andrés, muchas veces, necesité ese dinero hasta para sobrevivir, pero siempre encontraba la manera de calmarme y no depender de él". Ella se jubiló un poco antes de los 60 años con casi tres millones de dólares. Un día, llegó a mi oficina y me preguntó qué pensaba de comprarse un carro que le gustaba mucho y financiar la mitad, con la meta de pagarlo en doce meses. Con pena, me dijo: "es un carro muy, pero muy bonito y es muy caro. Cuando me dijo que costaba $55,000 dólares, le dije: "no es necesario financiarlo, ve ahora mismo y dales un cheque, luego, ven a mi oficina para que me muestres tu carro nuevo. Esa cantidad de dinero no afecta, en lo más mínimo, su jubilación. Nadie puede dudar que valió la pena el sacrificio, o como a mí me gusta decirlo: Ella vivió como ningún otro y ahora vive como ningún otro.

INTERÉS COMPUESTO

Edad	Pedro invierte		Pablo invierte	
19	$2,000	$2,240	0	0
20	$2,000	$4,749	$2,000	0
21	$2,000	$7,558	$2,000	0
22	$2,000	$10,706	$2,000	0
23	$2,000	$14,230	$2,000	0
24	$2,000	$18,178	$2,000	0
25	$2,000	$22,599	$2,000	0
26	$2,000	$27,551	$2,000	0
27	0	$30,857	$2,000	$2,240
28	0	$34,560	$2,000	$4,749
29	0	$38,708	$2,000	$7,558
30	0	$43,352	$2,000	$10,706
31	0	$48,554	$2,000	$14,230
32	0	$54,381	$2,000	$18,178
33	0	$60,907	$2,000	$22,599
34	0	$68,216	$2,000	$27,551
35	0	$76,802	$2,000	$33,097
36	0	$85,570	$2,000	$39,309
37		$95,383	$2,000	$46,266
38	¡Con una inversión	$107,339	$2,000	$54,058
39	de $16,000, Pedro ha	$120,220	$2,000	$62,785
40	ahorrado más de 2	$134,646	$2,000	$72,559
41	Millones de dólares	$150,804	$2,000	$83,506
42	para su jubilación!	$168,900	$2,000	$95,767
43		$189,168	$2,000	$109,499
44	0	$211,869	$2,000	$124,879
45	0	$237,293	$2,000	$142,104
46	0	$265,768		$161,396
47	0	$297,660	¡Pablo invirtió	$183,004
48	0	$333,379	$78,000 y **nunca**	$207,204
49	0	$373,385	**lo alcanzó!**	$234,308
50	0	$418,191		$264,665
51	0	$468,374	$2,000	$289,665
52	0	$524,579	$2,000	$336,745
53	0	$587,528	$2,000	$379,394
54	0	$658,032	$2,000	$427,161
55	0	$736,995	$2,000	$480,660
56	0	$825,435	$2,000	$540,579
57	0	$924,487	$2,000	$607,688
58	0	$1,035,425	$2,000	$682,851
59	0	$1,159,676	$2,000	$767,033
60	0	$1,298,837	$2,000	$861,317
61	0	$1,454,698	$2,000	$966,915
62	0	$1,629,261	$2,000	$1,085,185
63	0	$1,824,773	$2,000	$1,217,647
64	0	$2,043,746	$2,000	$1,366,005
65	0	$2,288,996	$2,000	$1,532,166

PEDRO Y PABLO

Los dos ahorran $2,000 por año al 12%. Pedro comienza a los 19 años y deja de ahorrar a los 26. Pablo comienza a los 27 años y no para de ahorrar hasta los 65.

Las inversiones se hacen para metas a largo plazo como la jubilación o la educación de nuestros hijos. Con frecuencia, me llegan preguntas o cometarios sobre oportunidades de inversión a las que muchos están entrando y dicen que pagan muy bien. Recuerda: no todo lo que brilla es oro. No existe el dinero fácil ni el camino corto hacia la riqueza. El que siembra poquito, cosecha poquito. Ten cuidado y no pierdas tu dinero en una de esas *oportunidades*. Por favor, deja de creer en eso. No se trata de ser aburrido, pero el que da un paso tras otro, al tiempo, termina el maratón. Los que corren a toda velocidad por cinco minutos y se cansan; y mañana vuelven a correr a toda velocidad, se vuelven a cansar y nunca terminan nada, terminan sin nada.

Tengo unos clientes que los dos eran maestros. Bueno digo tengo, pero tal vez lo correcto es *tuve* porque alguien más se está haciendo cargo de sus finanzas ahora que hago esto en público. Estos clientes trabajaron toda su vida como maestros. Nada espectacular en cuanto ingresos. Ellos simplemente disfrutaron su carrera que les ofrecía una pensión garantizada que reemplazaba un 60% de sus ingresos. Aparte, desde que empezaron a trabajar, ellos decidieron invertir un poquito cada mes en una cuenta de inversión externa; y se jubilaron con sus pensiones y casi dos millones de dólares.

Ahora bien, estas pensiones que les garantiza su trabajo no es un regalo del empleador, les descontaban el 7% de sus ingresos, y aparte, ahorraron en estas otras cuentas de retiro. Imagínate la comodidad de dos maestros que están libre de todas las deudas incluyendo la casa. El nido ya está vacío y los hijos son harina de otro costal, pues ya están fuera de la casa y no dependen de mis clientes. Como jubilados, ellos ya no tienen que ahorrar para el futuro porque el futuro ya se hizo presente. Ahora pueden hacer lo que se les antoje y no hay preocupación de que si viven una vida larga como jubilados se les vaya a agotar el dinero y se vuelvan dependientes. En vez de ser una carga para sus hijos, ellos se ubicaron en una posición donde van a bendecir a sus hijos y a los hijos de sus hijos con una herencia significativa. Yo me imagino que, en dos generaciones, los nietos o los bisnietos se van a preguntar cómo es que tienen una vida tan cómoda. Y cuando se escuche esa pregunta, sus padres podrán señalar esa foto de los abuelos en la pared y les contarán la historia de cómo, gracias a sus abuelos que, a pesar de no tener ingresos fuertes, fueron sabios con su dinero y forjaron una herencia que trascendió por generaciones. Esto es un claro ejemplo de lo que te dije al principio del libro: los cambios que harás en tu vida al practicar estos principios, no solo impactan tu presente sino la vida y el futuro de muchas generaciones.

Si estás hasta el cuello de deudas, un testimonio así debe parecerte como un cuento de hadas. Pero lo cierto es que ese es el potencial que tienes si tomas la decisión de vivir bajo estos principios. Tal vez las deudas y quedarte corto cada mes te tenga cegado, pero toda acción tiene una consecuencia y las consecuencias de invertir con sabiduría producen resultados. Tal vez este tema de las inversiones ahora te sirva para darte ese empujoncito que necesitabas para subirte en este tren que va rumbo a la paz financiera.

Riqueza

La riqueza no es algo que se hereda o solo llega cuando te ganas la lotería, sino que es un proceso que se toma tiempo para acumular, y si alguien te dice que encontró el camino rápido, ¡huye! porque te van a quitar el dinero. La riqueza es generada por un tipo mentalidad que está dispuesto a dar pasitos durante toda su vida laboral para alcanzarla. Típicamente, se habla más de la mentalidad de pobreza que de la de riqueza. Pero es lo mismo, yo lo digo de la siguiente manera: "si haces lo que hacen los ricos, te vuelves rico; y si haces lo que hacen los pobres, te vuelves pobre". Como es muy raro que tengas un amigo rico con el que pases tiempo, nunca escuchas cómo piensan, cómo se comportan y nunca estas expuesto a esos secretos. Generalmente, pasamos la mayor parte del tiempo con gente con mentalidad de pobreza que solo se están quejando y queriendo un nivel de vida que no se puede dar. Esto es a tal grado que la televisión siempre ha mostrado a los ricos como gente mala. ¿En las novelas quienes son los malos? No dudo que haya manzanas podridas que le pueden dar un mal nombre a los ricos, pero por lo general son personas muy agradables y muy generosas. Algo más que aprenderías de ellos es que son súper trabajadores, pocos podrían mantenerse al ritmo que ellos trabajan y toman decisiones. A propósito, el rico que te estás imaginando no es un artista o un súper atleta de tu equipo favorito. Algunos de ellos son millonarios, pero ellos no representan más que el 1% de los ricos. Muchas de estas personas reconocidas tienen un ingreso increíble, pero no son ricos. Tendemos a creer que son ricos por su nivel de vida, pero el día que pierden sus ingresos, se quedan en la calle. Solo pregúntale a tu compadre, el quebrado, quién fue el último al que le quitaron la casa en esas revistas de chismes.

"Entonces, si no es por el nivel de vida elevado que llevan, ¿cómo sé si son ricos? A los verdaderos ricos, los que tienen independencia financiera, los que pueden perder sus ingresos y sobrevivir por años, se les nota en el rostro. Tienen una calma en todo su ser que es difícil de explicar y también te podrías dar cuenta por su generosidad. En cuanto a nivel de vida, lo más probable es que tú tengas un mejor carro que ellos. No todos tienen un carro peor que el tuyo y puede ser que tengan una súper nave, pero para ellos el costo del carro es una cantidad mínima en comparación a su valor financiero, su patrimonio.

Dicho sea de paso, un libro buenísimo que te enseña mucho sobre cómo son ellos, y sirve para empezar a aprender mañas de las buenas se llama "El millonario de al lado" escrito por Stanley y Danko. Ellos les preguntaron de todo desde que carro manejan hasta que reloj tienen. Te lo recomiendo, muy buena lectura.

A lo que iba, a los ricos no les importa lo que tú pienses de su carro. Ellos no toman decisiones por el qué dirán. Las toman con el futuro en mente y no tanto su futuro personal, sino el de las generaciones venideras. Eso cumple con el proverbio que dice "un hombre sabio deja una herencia a los hijos de sus hijos". ¿Ves la diferencia? Ellos piensan diferente. La mejor parte es que eso indica que acumular riqueza no tiene nada que ver con tu trasfondo social ni económico. No importa si tu linaje es de rey o de campesino, si tú haces lo que hacen los ricos te vuelves rico; si haces lo que hacen los pobres, te vuelves pobre. Entonces, hay que aprender de ellos y si les preguntas, ellos te dicen. Este libro que estás leyendo, que es fácil de entender, te está enseñando los principios que ellos viven. Te digo que, aunque tu linaje sea de rey, si recibes una herencia y te comportas como pobre, tarde o temprano terminas sin dinero. No importa si amasar esa fortuna tomó tres generaciones ya que solo se necesita una generación de tontos para destruirla. Es por eso que la gente rica hace testamentos, fidecomisos y protegen el dinero; pero más que todo, protegen a la siguiente generación para que esa riqueza no las aplaste. Cuando uno no es quien construyó la riqueza y solo la recibe, no tiene la fuerza en las entrañas para soportar el peso de la riqueza. Un poco de riqueza puede llevar a una persona a decir "yo nunca voy a trabajar" y convertirse en un niño mantenido. Ese es uno de los temores de la generación que acumuló la riqueza. Este no es el libro para meternos en ese tipo de planeación, pero esta sí debería de ser una de tus metas. Tener el problema de decir: "¿qué hago para proteger a mi familia para que no los aplaste la riqueza?", sería un buen problema… imagínate. Si ya estás entendiendo la riqueza y dices "yo quiero" todo se empieza por un plan financiero. Los ricos se ponen los pantalones de la misma manera que tú y de la misma manera empezaron con el Pasito #1. No le pienses y comienza a construir riqueza hoy mismo.

Pobreza

> **Toma una decisión de dejar de hacer y actuar como pobre y empezar a vivir como rico.**

Cuando escuchamos la palabra *pobreza* lo primero que se nos viene a la mente es una familia viviendo en una choza, sin comida, sin ropa, sin agua, etc. Aquí no me voy a enfocar en eso. Combatir la pobreza mundial es cosa seria. Yo me quiero enfocar en lo que causa pobreza en una familia. También le podemos llamar la *mentalidad de pobreza*. En otras palabras, lo que causa que una persona que tiene trabajo, en un país con una economía relativamente sana (norte, centro y sur América) termine sin nada.

Yo creo que hay varias razones por las que existe la pobreza y una es, definitivamente, el lugar donde naciste. Nunca he viajado al África ni a otros países que relacionados con la pobreza extrema donde pueden pasar hasta varios días sin un trago de agua limpia. El puro hecho de vivir en Latinoamérica, en comparación de esa pobreza en África, sería como jugar béisbol y empezar en la segunda base; y si estás en Estados Unidos, sería como empezar en tercera base. Sería muy difícil acumular riqueza si hubieras nacido en el desierto del Congo, en África. Pero como no estás allá y, además, estás leyendo este libro, no hay excusa para que termines en pobreza.

Otra razón que causa pobreza es que hay opresores. No estoy hablando de alguien con un látigo, dándoles en la espalda; sino que existen negocios que se aprovechan del pueblo. El efecto es el mismo: la gente termina como esclava, pero con la única diferencia de que el pueblo no es obligado a ser esclavo, sino que ellos entran y firman, con su puño y letra —voluntaria y felizmente— y terminan entregando la mayoría de su dinero a sus amos. Estoy hablando de negocios que te prestan hasta el día de pago, negocios que rentan aparatos electrodomésticos y muebles de casa con opción a compra, lotes de carros que financian a una persona que no tiene la capacidad de pagar, la lotería, etc. Si no me crees que esto causa de pobreza, solo mira dónde encuentras este tipo de negocios. Nunca los vas a ver en los barrios de los ricos solo en los barrios de bajos recursos. Es más, puedes identificar si el barrio es seguro o no, solo con la presencia de estos "negocitos". "Bueno, Andrés, si fueran ricos no usarían estos servicios". Estás equivocado, llegaron a ser ricos por no usar este tipo de servicios.

Los intereses que cobran los negocios que, según ellos, te adelantan el cheque con un préstamo pueden variar de un 300% hasta un 1,800%. Así como lo ven, eso es lo que cobran. No es un "servicio" y tampoco "una ayuda" para la gente de bajos recursos, es como firmar para ofrecerse de voluntario para ser abusado. Aquí, los únicos que se benefician son los dueños, gente ambiciosa que está dispuesta a atropellar al pueblo con tal de ganar dinero. Yo no creo que el gobierno los deba cerrar; yo creo que, si aprendemos a administrarnos sanamente, nosotros podemos cerrar este tipo de negocios. Pienso que podríamos jubilarlos en un lugar extra calientito llamado infierno para que se tuesten eternamente.

Otra razón que causa pobreza es la falta de administración, también llamada *ignorancia*. Por tonto, por menso, por comportarte como un niño chiflado puedes terminar en la pobreza. Muchas veces hacemos tonterías simplemente porque nadie nos enseñó esto de la administración. Se me hace ridículo que en la escuela te enseñen trigonometría y literatura, pero no te enseñan cómo funciona el dinero. Es como decirle al muchacho ya sabes física, química y la historia de tu país así que adelante, ya estás listo para la vida. ¿Quién te va a enseñar a comprar un carro?, ¿el concesionario? ¡Te imaginas! Es lamentable. A pesar de que es fácil de entender pues la mayor parte es solo sentido común —aunque ciertamente es el menos común de los sentidos— no se enseña ni en la primaria ni la secundaria ni en la preparatoria ni en la universidad. Hayas ido a la escuela o no, esto del dinero es como ser un pedazo de carne arrojado a los leones. Aprendes a puros golpes en la cartera, quise decir en la cabeza y las consecuencias, para muchos, son muy dolorosas. Me anima mucho escribir este libro porque sé que cuando lo leas y tomes acción, tu futuro cambiará completamente pues las próximas generaciones van a estar imitando lo que vieron en casa. Hay excepciones para todo, pero date cuenta que tú mismo haces muchas cosas que viste en tu casa. Hay gente que me dice "Andrés, yo no creo en comprar carros usados porque mi papá me dijo que es como comprar los problemas de otro. Con mi carro nuevo estoy seguro del historial del carro". Bueno, el punto es que la ignorancia causa pobreza. La pobreza no discrimina ni dice "bueno, como él no sabe, no voy a llegar a su casa". Hay un dicho que dice "el que nada sabe, nada teme". Piensa en las finanzas como si estuvieras en una clase de la escuela, y tienes un examen final. Poco antes de que te den la hoja, tu compañero "el zancudo" se para y, con mucha seriedad, dice "Compañeros, el que nada sabe, nada teme". A ver cómo te va en el examen. En las finanzas, como en el examen, lo que no sabes te puede matar.

Ahora bien, cuando combinas la ignorancia con la falta de contentamiento terminas con una receta acelerada para estrellarte contra la pobreza. No importa si te heredaron millones de dólares. Lo que se tomó tal vez tres generaciones para acumular, un tonto puede acabar con eso en unos cuantos años, o antes.

La mentalidad de pobreza la tiene la persona que siempre culpa a alguien más por estar donde está. "Es que el gobierno nos tiene en la ruina, si hubiera ganado el otro partido político, otra canción estaríamos cantando". Es probable, pero tu situación sería la misma o peor. "Es que mi jefe es un perro". "Si la economía sanará todo fuera diferente".

La gente que acumula riqueza lo logra tanto en tiempos difíciles como en tiempos de prosperidad; pues la prosperidad o la riqueza no es un destino, sino un proceso que nunca termina. El gobierno de los Estados Unidos tiene un indicador. Si tus ingresos son menores, te consideran pobre y eso abre las puertas para la asistencia social. La pobreza no se puede medir de la misma forma en todos los países; pues lo que se considera pobreza en Estados Unidos se puede considerar riqueza en otra parte. En EEUU hay personas que son consideradas pobres, pero viven con aire acondicionado en su casa, tienen carro, televisión por cable, uno o dos celulares y comida en el refrigerador. A muchos, el gobierno les da todo eso, ¿y, qué crees? Muchos de ellos se siguen quejando. El que tiene mentalidad de pobreza es una persona que siempre se está quejando. Todos conocemos esa persona quejumbrosa que desde el momento que lo ves, abren la plática con una queja. Otros creen que Dios tiene un juego de lotería donde saca bolitas de una bolsa y, a ciegas, reparte pobreza a unos y riqueza a otros. Muchos latinos están "seguros" que la riqueza es para otro tipo de gente y Dios les ha dado "el don" del trabajo duro y poca paga. Podemos seguir expandiendo sobre lo que es la mentalidad de pobreza, pero creo que entiendes de lo que estoy hablando. Tal vez, tristemente, tú ves a una persona con esa mentalidad todos los días en el espejo. Entiendo que la vida te ha dado reveses, y que duelen mucho. Pero es tu decisión si te quedas tirado, llorando y enojándote por lo que te pasó, o te levantas con fuerza y energía y arremetes en contra de las circunstancias con todas tus fuerzas nomás para que aprendan a no estarte fastidiando.

Todo empieza por una decisión de dejar de hacer y actuar como pobre y empezar a vivir como rico. Eso significa dejar de quejarte. Dejar de confesar pobreza, ruina y miseria con tu boca. Muérdete la lengua la próxima vez que estés por escupir pobreza. Créeme que comparto tu coraje en cuanto a la corrupción, pero nada va a cambiar por medio de tus gritos y quejas con tus amigos y en la internet. Sé más astuto que el sistema, empieza a meditar, a evaluarte, a autocriticarte, a entender qué es lo que te ha llevado a donde estás y empieza a vivir bajo principios que causan prosperidad.

Contentamiento

Una casa en uno de los mejores barrios de la ciudad, con cinco habitaciones, tres baños y medio, cuatro carros, una membresía del club más prestigioso, vacaciones dos veces por año y ¡quieren más! ¿Cuánto es suficiente? ¿Cuál es la meta? Me he dado cuenta que no existe una cantidad que haga que el corazón cambie.

Me he reunido con personas que tienen millones de dólares y percibí que tenían el mismo estrés que yo, que tenía muchísimo menos dinero que ellos. Al mismo tiempo me senté con personas que, contaban con unos pocos ahorros, pero estaban tranquilos y apegándose a su plan financiero para poder jubilarse con independencia financiera algún día. ¿Cómo puede ser que alguien con menos, tenga paz financiera? Esto está relacionado con uno de los principios financieros más poderosos que existe, *el contentamiento*; que estés contento con tu casa, con tu carro, con tu ropa, en fin, con todo lo que tienes. Sentir contentamiento hace que te relajes, que veas el mundo de otra forma, cambia tu semblante y tu actitud. Entonces, todo lo demás empieza a cambiar ya no eres títere de la publicidad ni monigote de la moda y, como una cosa lleva a la otra, la deuda empieza a desaparecer. Para seguir con la cadena de sucesos, también se empieza a acumular dinero y todo empieza a alinearse rumbo a la paz financiera. Pero si, por el contrario, estás con hambre de cosas y el dinero nunca te alcanza, significa que no solo no estás contento con lo que tienes, sino que quieres más. Muchas personas celebran un aumento de sueldo de $300 comprándose un carro que viene "equipado" con un pago de $400 dólares al mes.

A pesar de que era asesor financiero y que he sido organizado en mis gastos, siempre tenía antojo de cosas. Compré varios carros en un periodo de tiempo corto. En mi mente, siempre justificaba que eran carros usados y que no estaba gastando demás en cada compra que hacía. La verdad es que nunca los vendía por más de lo que había pagado y, aparte, cada vez que compraba un carro, gastaba para registrarlo a mi nombre y los cambios y mejoras que les hacía. Como pueden ver, esto confirma lo que mencioné anteriormente: mi niño se despierta con los carros. Nosotros, los casados, tenemos una tremenda ventaja que no tienen los solteros: un cónyuge que te diga, "otra vez te vas a comprar un …. ¿apoco no? Me pregunto cuánto dinero de más hubiera derrochado si no fuera por mi Zaira.

Hace años, contraté a una muchacha que tenía algo diferente. Me di cuenta que a pesar de que yo tenía una casa más grande que la de ella, ella tenía un gozo —una tranquilidad— que yo no tenía. Aunque no lo crean, ella y su esposo no tenían televisión de pantalla plana y no tenían esa urgencia de comprarse una "para ayer". Es más, no recuerdo escuchar que estuvieran ahorrando para comprarse una muy pronto. Ellos estaban contentos con lo que tenían. Lo que sí tenían era paz financiera. No tenían deudas, excepto la hipoteca y tenían un fondo de emergencias de 6 meses de gastos; además, estaban invirtiendo para su futuro. He aprendido que todos tenemos un vacío en el corazón y lo queremos llenar, pero el de ellos estaba lleno. Más adelante me di cuenta que el origen de esta paz y este contentamiento era su relación con Dios. ¡Epa, no te espantes! No estoy a punto de darte un sermón. Lo que sí quiero es compartir lo que aprendí de ellos y la verdadera razón de su paz interior. Vean lo que dice aquí:

> *Y claro está que la religión es una fuente de gran riqueza, pero sólo para el que se contenta con lo que tiene. Porque nada trajimos a este mundo, y nada podremos llevarnos; si tenemos qué comer y con qué vestirnos, ya nos podemos dar por satisfechos. En cambio, los que quieren hacerse ricos caen en la tentación como en una trampa, y se ven asaltados por muchos deseos insensatos y perjudiciales, que hunden a los hombres en la ruina y la condenación. Porque el amor al dinero es raíz de toda clase de males; y hay quienes, por codicia, se han desviado de la fe y se han causado terribles sufrimientos. 1Timoteo:6-10* (DHH)

Básicamente dice que, si tienes a Dios en tu corazón, ese vacío está llenito y hace que tú estés contento, sientes satisfacción en vez de un hambre de cosas por querer llenarlo. Tristemente muchos intentan llenar ese vacío con cosas destructivas como: alcohol, drogas, pornografía o buscan relaciones fuera del matrimonio. Otras de esas cosas son las compras, darse capricho tras capricho para tratar de mantener ese vacío lleno. El gastar y gastar para sentirse llenito es igual de destructivo que las otras cosas que mencioné porque primero destruyes tus finanzas y unas finanzas destruidas se pasan llevando no solo tu salud mental, sino también, tu matrimonio entre las patas. Mientras ese espacio este vacío, tus finanzas corren peligro. Pero cuando tienes a Dios en tu corazón y estas llenito por dentro, eso evita que salgas corriendo a meterte en pagos por una televisión o un comedor y después decir "no tengo para invertir en el fondo universitario de mi hijo ni para la jubilación". Tu fe en Dios, más el contentamiento son una fuente de gran riqueza.

Cuando estás contento con lo que tienes y donde te encuentras, también mejora tu vida porque hace que te detengas y vivas agradecido. Cuando tu vida es más, más, más, más, te pierdes los juegos de tus hijos, no hay tiempo para tu esposa, tus hermanos y tus papás te dejan de ver; pero lo más importante es que te pierdes del olor del café y la tierra mojada, te pierdes de esos "detalles" que te regala la vida.

Por favor, no me malinterpretes, no estoy hablando de mediocridad o de conformismo. Yo me enfermo y me da roña solo de pensar en la mediocridad. Tener contentamiento no significa que dejes de ser una persona que tiene planes y metas. Sentir satisfacción por lo que se ha logrado hasta ahora, no significa que no aspires a más. El contentamiento se deriva de un corazón lleno y satisfecho, la mediocridad y el conformismo se derivan del ocio y la falta de aspiraciones. Yo no quiero nada mediocre en mi vida, ni en la tuya. No quiero un matrimonio mediocre, no quiero hijos mediocres, no quiero una relación mediocre con Dios. ¡Guácatelas, nada de eso! Ser mediocre te roba empeño para crecer en tu carrera. El conformismo te roba el sueño, de tener un plan motivado por un espíritu de **ya no más**. Tenemos que romper con ese espíritu de conformismo y decir "¡ya estoy harto de muy apenas sobrevivir!", o un sentimiento de "no te preocupes, vieja, no estamos tan mal porque todavía podemos hacer los pagos". Si ese sentimiento ha invadido tu corazón y a tu familia, lo siento. El autor Rick Warren lo dijo muy bien "si la envidia está invadiendo tu corazón, ora en silencio, 'Señor, gracias que no tengo sus pagos'". No va a ser fácil salir de tu zona de comodidad, pero cuando uno levanta la mirada y empieza a dar los pasos en el plan financiero que venimos trazando, sin duda saldrás del hoyo y empezarás a ganar con tu dinero y, al mismo tiempo, disfrutarás todos los logros de vivir con contentamiento en tu corazón.

4

El dinero y la familia

El matrimonio y el dinero

-En cuanto al dinero mi marido y yo somos inseparables.

-¿Cómo así?

-Cuando peleamos, se necesitan hasta ocho vecinos para poder separarnos. Así como los perros pit bull, que se les traban las mandíbulas, no sueltan la presa; y empieza todo tipo de rencores en contra de tu cónyuge.

Fíjense lo que acabo de decir: "tu cónyuge". Está bien que te defiendas como león si fuera alguien más quien te quiere quitar tu dinero, pero estamos hablando de tu marido, de tu mujer. Esto del dinero y el matrimonio es cosa seria. El matrimonio y el dinero son como el agua y el aceite. Qué bonita la ilusión cuando andas de novio y piensas "qué bonito poder casarme y tener alguien con quien compartir mis sueños, mis metas". Pero, un tiempo después, tu pensamiento es "Ese cura (o pastor) que nos casó es un mentiroso, dijo 'se convertirán en un solo ser, en una sola carne'". Es chistoso cómo esa frase se vuelve algo metafórico que nunca alcanzamos si no estamos de acuerdo y unidos en cuanto a los asuntos del dinero.

> *Ningún hombre estará obligado a ir a la guerra o a prestar servicio alguno, si se acaba de casar. Al contrario, durante todo el primer año de su matrimonio tendrá derecho a quedarse en su casa, para disfrutarlo felizmente con su esposa.* Deuteronomio 24:5 (TLA)

Miren qué interesante lo que dice Dios sobre el matrimonio. El pueblo estaba de acuerdo, cuando alguien se casaba los dejaban en paz para que se acoplaran, para que se unieran. Los expertos en esta materia dicen que el hombre ni siquiera trabajaba para pasar tiempo con su esposa. Si había guerra, ni siquiera estaba obligado a ir a la guerra. El pueblo sabía lo difícil que era unirse como matrimonio, y estaban dispuestos a sostener a esa pareja para que encontraran unidad. La unidad no existe en el matrimonio si no están en la misma frecuencia con el dinero. No digo que ambos deben pensar igual, pues en todo matrimonio los cónyuges son diferentes. Trataremos esto con más detalle, por ahora, el punto es que el dinero divide y, si no deciden manejar su dinero juntos, se van a perder de lo rico que es llevar su matrimonio a un nivel de unidad más alto.

Somos diferentes

Eso de la unidad suena bonito, pero todos sabemos que es tan difícil unir el agua y el aceite, como lo es unir a un hombre con una mujer. Somos diferentes, pensamos diferente, reaccionamos diferente. Hay buenísimos expertos que hablan sobre estas diferencias, como: el Dr. John Gray en su libro *Los hombres son de marte y las mujeres son de venus*. A nosotros, los hombres, nos gustan las películas de acción, balazos, machetazos, trancazos, sangre en la pantalla; y a las mujeres les gustan las películas aburridas, las historias de amor. He aprendido a quedarme callado porque antes le decía a mi esposa, "¿Quieres que te diga cómo va a terminar la película? Van a terminar juntos". Ella me decía: "Yo te puedo decir quién va a ganar, los buenos". Y continuaba, "Ustedes, los hombres, no han progresado… pura violencia. Si fuera por ustedes, el coliseo romano continuaría funcionando".

Somos diferentes. Yo puedo estar parado compartiendo estos principios financieros por cinco horas, y no me canso, ni me duelen los pies; pero desde el momento en que se mueve el aire donde viene mi esposa a decirme: "¿Nos llevas de compras al centro comercial?". Se me sube la presión, me da migraña, me entra un escalofrío en el espinazo y me duele el trasero porque sé que voy a estar sentado en esas banquitas incómodas en los pasillos del centro comercial junto con otros hombres con cara de "¿Cuál es la tuya?". "¿Ves aquel remolino donde vuela la ropa?".

> La unidad no existe en el matrimonio si no están en la misma frecuencia con el dinero.

Para nosotros, los hombres, ir de compras es más o menos así: Salimos del carro y como robots: "identifica el blanco, la meta es entrar, comprar y salir". Desde que entramos a la tienda estamos viendo qué fila es la más corta, (ya sabemos a qué tienda ir porque investigamos por internet quién tenía el mejor precio), pagamos, regresamos al carro y "clic" revisamos el cronómetro y, efectivamente, es un nuevo récord mundial.

Las mujeres están, "Ahhh… calma muchacho, no se trata de solo hacer la compra. Esto es un proceso. Tenemos que ir a todas las tiendas, tocar todo y medirnos todo. Tenemos que platicar todos los problemas familiares con la cajera, comprar casi todo para regresar mañana y devolverlo".

Polos opuestos

Somos diferentes por el hecho de que uno es hombre y la otra, mujer; pero la cosa se pone peor. Aparte de estas diferencias, también somos polos opuestos. Por ejemplo, uno de ustedes llega temprano a todo y el otro llega tarde a todo. En mi casa, yo soy el que llega temprano. Soy el que anda apurando a toda la familia. Los domingos soy el que dice "vámonos porque para cuando lleguemos, Jesucristo ya no va a estar en la iglesia".

Uno siempre tiene frío y el otro siempre está ardiendo en calor. Uno siempre subiéndole al termostato porque "esta casa parece congelador" y otro bajándole porque está sudando. Un día hasta pensé en comprar una cajita con llave para el termostato, y ponerla en la casa. Somos polos opuestos.

Uno de ustedes gasta mucho y el otro es ahorrador. Dios tiene sentido del humor porque nunca junta a dos personas iguales. Si uniera a dos ahorradores, vivirían en una cueva y nunca saldrían a menos que hubiera una oferta súper especial en frutas y verduras. Si se juntan dos gastones, nunca tendrían ni para pagar la luz. Así que ustedes, gastones, necesitan a un ahorrador en su vida para que cuando se jubilen, no terminen buscando el libro *Cómo cazar y azar ardillas en tres pasos fáciles*; y ustedes, ahorradores, necesitan a un gastón en su vida para que tengan vida y disfruten de otra bebida diferente al agua pura.

Uno de ustedes tiende a ser muy organizado y meticuloso, al que nunca se le pierden las llaves. Le gusta tener la ropa bien dobladita y planchadita. En su clóset todo está organizado por tipo de ropa y color. Si fuera por él tendría planchados hasta los calcetines. Típicamente, Le da un infarto si las cuentas no se pagan a tiempo. Le encantan los números, le gusta que todo cuadre. A estos les llamo *Sabelotodo*. Si tú eres así, tú y yo somos iguales, somos del mismo equipo. Nosotros, los Sabelotodo, somos muy precisos, pensamos todo mil veces. tendemos a ser muy controladores. Nos gusta llevar el control porque es una manera de cuidar o amar a nuestra familia.

El resto de ustedes se sienten controlados. Para los de este equipo, todo es fiesta. Son los que dicen: "Olvídate de tantos números y vamos a vivir la vida. No te preocupes por lo ahorros porque cuando te mueras no te vas a llevar nada". Siempre olvidan o pierden algo. Compran a la moda sin importar lo que cueste. Muchos de estos son los que hacen fila toda la noche para ser los primeros en comprar el nuevo juguete. Yo los llamo: *Bohemios*. A ustedes no les interesan tantos cálculos.

Si todavía dudas a qué equipo perteneces, hay una prueba que nunca falla. Si cuando vas al baño, eres de los que cuentan los cuadritos de papel sanitario y nunca usas más de cierta cantidad porque hay que ahorrar papel, definitivamente eres un *Sabelotodo*. Si eres de los que estira el papel con velocidad y esperas a que el rollo deje de dar vuelta para cortarlo, eres un Bohemio.

Así que se casa un Sabelotodo con un Bohemio y, al poco tiempo, el sabelotodo sube a la montaña a conversar con Dios y baja con un presupuesto escrito en tablas de piedra. Dice (sonando como un dictador dando órdenes): "Familia… platiqué con Dios y aquí está la manera en que vamos a vivir". El Bohemio ve esas tablas llenas de números y dice: "Lo veré después de las compras".

"Es que gastas demasiado". "Es que solo quieres controlarme". "Es que eres como una niña chiflada", y "tú, como un ogro controlador", y estamos continuamente chocando. Hay familias que tienen décadas viviendo así y llegan al punto que no hablan de dinero. Otros, se van a sus esquinas, como en el boxeo: "Tú pagas la luz y yo pago el agua y el gas"; "tú paga el cable y yo el internet". "Nos vamos a dividir el pago de la casa así que te toca $500 mensuales y me debes los del mes pasado". Ni parece que están casados, parecen más como socios de negocios que viven en la misma casa y duermen en la misma cama.

La Multiplicación del yugo doble

¿Qué hacemos? ¿Cuál es la solución? ¿Cómo logramos juntar esos polos opuestos o, por lo menos, cómo logramos hacer que jueguen para el mismo equipo? Existen unos caballos enormes que tienen las patas peludas. A los que vienen de Francia se les llama *Percherones* y a los que vienen de Escocia, *Clydesdales*. También los hay en Inglaterra y en Bélgica. Tal vez los has visto en la televisión o en algún circo. Son animales entrenados, ejercitados, criados para el trabajo fuerte durante generaciones (No. No son los que usan en los parques para pasear a los niños). Estos caballos pesan hasta 2,000 libras y tienen la fuerza para jalar el doble de su peso, hasta 4,000 libras. Lo más interesante es que cuando ponen dos de estos caballos juntos, ellos no jalan 8,000 libras como sería de esperar según lo indican las matemáticas. Cuando pones a estos caballos hombro a hombro, en la misma yunta, jalando hacia el mismo lado, con el mismo objetivo, con la misma meta, animándose mutuamente con su esfuerzo cuando escuchan la respiración del otro. Dos de estos caballos juntos jalan 14,000 libras y hay récords de hasta 17,000 libras.

Unidos somos más fuertes. Miren lo que dice aquí.

Más valen dos que uno, porque obtienen más fruto de su esfuerzo. Si caen, el uno levanta al otro. ¡Ay del que cae y no tiene quien lo levante! Si dos se acuestan juntos, entrarán en calor; uno solo ¿cómo va a calentarse? Uno solo puede ser vencido, pero dos pueden resistir. (Eclesiastés 4:9-12 NVI)

Miren qué linda promesa de Dios. Cuando dos se unen, 1+1, ya no son dos. Cuando dos trabajan juntos por la misma meta obtienen más fruto de su esfuerzo. Lo he vivido y lo he visto en muchos matrimonios. Cuando empiezan a administrar su dinero juntos hay una multiplicación que llega a su vida. Recientemente, conversé con un matrimonio, y me dijeron: "Andrés, desde que empezamos con todo esto, hemos logrado lo que no habíamos podido en 11 años". Además, me comentaron que hasta su sueldo aumentó. Esa es la promesa de Dios, que unidos obtenemos más fruto de nuestro esfuerzo. A veces uno flaquea, pero si estamos unidos, como dice allí, el otro lo levanta. Me encanta la parte de acostarse juntos y entrar en calor. Una cama tamaño *King* es cómoda, pero puede ser bastante fría, especialmente cuando han estado discutiendo por el dinero. Cuando han estado peleando por dinero, la mujer se mete a la cama y se enrolla como tamal y se acuesta en la orillita de la cama y el hombre llega diciendo: "Mi amor ya no te enojes, ven, dame un abrazo"; es horrible. Esa promesa de entrar en calor es toda una realidad cuando están más unidos con su dinero. "Uno puede ser vencido, pero dos pueden resistir". El dinero no es lo único que nos separa, pero debido a que es muy emocional, causa muchas tormentas en nuestra mente. Sin embargo, cuando luchan juntos por su bienestar financiero presente y futuro, esas tormentas se acaban.

El combustible más potente que existe para un cónyuge emocionado por salir del hoyo y ganar con el dinero es contar con el apoyo de su pareja. De la misma manera, *Y si una casa está dividida contra sí misma, tal casa no puede permanecer,* dice la Escritura en Mateo 3:25 (RVR1960). Una casa dividida termina en ruina. Pero una casa unida, con las mismas metas, no solo progresa económicamente, sino que, además, alcanza cualquier otro tipo de meta. Esto es muy importante para los empresarios. Nunca, pero nunca, empieces un negocio sin el consentimiento y apoyo de tu cónyuge. Hay una multiplicación de esfuerzos cuando jalan para el mismo lado. Tal vez

> Una casa dividida termina en ruina pero una casa unida alcanza cualquier meta que se proponga.

te preguntes, "Pero ¿cómo?", "Andrés, está muy bonita la ilustración de los caballos, pero ¿qué es lo que tenemos que hacer? ¿Cómo logro hacer que mi cónyuge y yo jalemos para un mismo lado?

La Solución

La solución es la junta presupuestal. A base de experiencia y por los años en una oficina ayudando a miles de familias a ponerse de acuerdo con sus finanzas he aprendido que estar de acuerdo en sus gastos significa que están de acuerdo con sus metas, con sus valores, con sus morales, con sus temores. Si están de acuerdo en estas cosas, significa que han encontrado unidad. Para barajárselas más despacio, estoy hablando de tener un presupuesto hecho por los dos. De eso se trata la junta presupuestal, qué se necesita para multiplicar nuestros esfuerzos. Antes de empezar a darles ciertas reglas para la junta presupuestal, le voy a pedir al Sabelotodo que haga el presupuesto. Es muy probable que ya lo tengas hecho, pero si no, hazlo y tenlo listo. Hagan una cita y pónganla en la agenda, pues a cierta hora se van a juntar para hablar del tema. Esto tiene la misma importancia y la misma prioridad que una cita con el médico para tratarse algo urgente. Debe tratarse con toda seriedad porque su presente y su futuro, no solo económico, sino como matrimonio, está de por medio. Programen una cita, a una hora en que los niños estén dormidos y apaguen la televisión para que conversen con calma, sin ser distraídos.

Hay unas reglas para los bohemios y otras para los sabelotodo en cuanto a la junta presupuestal. Estas primeras tres reglas son para los sabelotodo.

Regla #1 – Sabelotodo, pásale el presupuesto que hiciste a tu bohemio/a, permite que lo vea y cállate. Para tu información, los bohemios ya están hartos de escuchar todos los errores que han cometido desde que nacieron, ya están hartos de que les recuerdes la vez que pagaron tarde la luz hace 8 años, y tuvieron una multa de $1.24, por mandar el pago tarde. Tus opiniones ya están en el papel y ahora le toca al bohemio opinar. Cállate.

Regla #2 - Esta es una junta y no una conferencia de fin de semana, tampoco es una cumbre de negocios internacionales, ni mucho menos una convención mundial de ocho días. Con referencia al bohemio, tienes como 17 minutos de su atención. Después de ese tiempo, pueden estar físicamente presentes, pero su espíritu como que los deja y solo queda el cuerpo frente a ti. A ellos, después de 17 minutos, se les apaga el cerebro, se les cruzan los ojos con tantos números. Si sientes que ya se desconectaron, programa otra cita.

Regla #3 – Sabelotodo, escúchame muy bien, en esta última regla tienes que permitir que el bohemio haga cambios al presupuesto. Sabelotodo, sé que estás gritando a todo pulmón "¡NOOOOO! Andrés, el presupuesto está perfecto, yo lo hice, si le hacemos cambios va a estar mal. Me pasé 8.43 horas perfeccionándolo, mejor dile a mi bohemia/o que se acate a mi presupuesto". Calma, sabelotodo, esto es plan con maña, es un truco para involucrarlo.

Bohemio, espero que sientas que te defendí del perfeccionista, controlador, sabelotodo, que es tu marido/mujer. Tú también tienes reglas para la junta presupuestal.

Regla #1 - Tienes que venir a la junta.

Regla #2 - Tienes que traer tu cerebro. Tienes que participar como adulto maduro. Cuando el sabelotodo se dé cuenta de que le pusiste $500 para el maquillaje y $40 para la comida, tienes que desconectar el lado emocional de tu cerebro durante 15 minutos y conectar el lado lógico y hacer un cambio razonable con esos dos números. Cuando le digas a tu sabelotodo, "necesitamos más para la ropa" y él te diga *OK*, le aumentamos la categoría de *ropa* de $100 a $200 en el presupuesto, ¿dónde sugieres que disminuyamos? No vayas a responder: *Me da igual*. Nada de eso... tenemos un plan y lo vamos a seguir, los números tienen que cuadrar.

Regla #3 - Bohemio esta última regla es muy importante si quieren tener un nivel de unidad en su matrimonio como nunca antes. Si ponen en práctica esta última regla, la gente va a estar sorprendida del nivel de comunicación que tienen como pareja. Tú, bohemio, sueles decir una frase que nunca más puedes volver a decirla: "Lo que tú quieras, gordito", "lo que tú digas, mi amor", "lo que tu mandes, mi flaca", ¡Ugh! Nunca más puedes volver a decir esto. Ya quedamos que tenemos un pacto firmado y lo vamos a cumplir. Ya estuvo bueno de estropear el plan que hicimos como pareja. Tenemos un presupuesto y nos vamos a comprometer. Cuando piensen en un cambio organicen una junta presupuestal y hacen el cambio los dos, juntos. El primer mes quizá tengan una junta presupuestal cada tres días o cada vez que se les venga un gasto que no está en el presupuesto. Si llega un gasto que no está en el presupuesto no lo hacen hasta que se reúnan, vean su presupuesto y decidan qué van a cortar para incluir ese gasto y añadir ese gasto como categoría si creen que seguirá llegando. En el segundo mes, tal vez van a tener una junta presupuestal cada semana. En el tercer mes, tal vez solo tengan dos y de allí para adelante se tienen que reunir una vez por mes por el resto de su eternidad, aunque ya tengan un presupuesto súper realista.

Dense cuenta que al hacer un presupuesto ya vienen haciendo dos cosas en conjunto. Para este capítulo ya les pedí que se sienten para trazar su plan financiero, en específico tener un plan por escrito de cómo juntar los primeros $1,000 del pasito #1. Ahora unos días después al llegar a este capítulo están trazando su presupuesto familiar. Si ustedes se comprometen a vivir esto y no solo a leerlo, ahora estarán empezando a sentir esa unidad. La manera como te das cuenta es porque tu esposo ya se ve más guapo y no le puedes quitar la mirada de encima a tu esposa. A esto se le llama unidad no solo en las finanzas sino como matrimonio.

> **Ser una persona administrada te hace más atractivo.**

Solteros

"Señor, estoy enamorado de su hija y no es por su dinero". ¡Ah! ¿De cuál de las cuatro? ¡¡¡De cualquiera, de cualquiera!!!

Como dijo la abuela, el amor es amor, así que mejor enamórate de un rico que de un pobre. Siempre sabios los consejos de la abuela, ¿verdad? Los solteros tienen ventajas y desventajas de ser solteros. En otras palabras, estás solo y no tienes que compartir tus planes con nadie; pero al mismo tiempo, no tienes alguien con quién discutir, elaborar y pensar en las ventajas y desventajas de tus planes.

Para evitar la soledad, los solteros tienden a dejar que cosas poco productivas les roben su tiempo libre; si a eso le añades la fatiga del trabajo, tienes una fórmula infalible para el mal manejo del dinero. Mucho cuidado con las compras compulsivas que muchas veces vienen a causa del estrés. Esta fórmula te lleva a la autocompasión o a la sensación de: "Es que me lo merezco "Ha sido un día muy largo y estoy agotado, trabajo muy duro y necesito un alivio", "Estoy triste, estoy deprimido y para que se me quite me voy a comprar algo con dinero que no tengo", "Comprar algo siempre me hace sentir mejor", "Yo me quito la *depre* pagando una fiesta para mis amigos", y todo tipo de cosas. Tengan mucho, pero mucho, cuidado porque financieramente se pueden poner como las cucarachas cuando les echas el insecticida: patas arriba.

Padres Solteros

No conozco las estadísticas de otros países, pero en Estados Unidos, el 55% de las madres solteras viven en la pobreza según los parámetros del gobierno. Es muy común que, después de haber tenido un día largo y cansado, el padre o la madre soltera no quiera cocinar al llegar a casa. ¿Con qué frecuencia decides pasar a un restaurante de comida rápida a comprar algo porque estás totalmente agotado y no quieres discutir con tus hijos cuando todos empiezan a gritar al mismo tiempo: "comida, comida, comida?". Lo más triste es cuando sabes que usaste el dinero asignado a otros pagos para comprar esa comida y, por eso, te rechazaron varios cheques y terminaste pagando $165 dólares de multas, más el costo de la comida y todavía debes lo que tenías que haber pagado. ¿Te ha pasado?

Estoy aquí para decirte que tú no te mereces ese tipo de *alivio*. Tú no te mereces ese tipo de escape. Es en ese momento tienes que decirles a tus "angelitos": "¡cállense!, hay huevos y frijoles, en la casa. Te puedo decir, con mucha convicción, que estos son los momentos que van a definir si vas o no a salir del hoyo. Allí es cuando debes tener mucho cuidado porque podrías perder no solo el control de las finanzas, sino también, la esperanza que ya estabas alcanzando. Estos momentos van a requerir todas tus fuerzas para pararte firme. Aunque no lo parezca, te aseguro que saldrás del hoyo, juntarás un fondo de emergencias y podrás comprobarte a ti mismo, y a todos los demás, que tienes la disciplina para alcanzar y proveer paz financiera para tus hijos. Es más importante no perder tu casa y tener la protección de un fondo de emergencias que un menú de comida rápida con juguetito. No tengo nada en contra de eso; sin embargo, muchas veces tomamos pequeñas decisiones egoístas que, al acumularse, pueden conducirte a la quiebra.

Muchos solteros, divorciados y sin hijos, en particular, los más jóvenes tienden a gastar por soledad. Prefieren comer en un restaurante únicamente para no comer— otra vez— solos en la casa. Salen a comer para estar rodeados de personas y terminan gastando dinero. Se te hace fácil aceptar una invitación a salir, aunque no tengas el dinero, con tal de estar donde hay gente. La comida de microondas, por muy bonito que pinten el platillo en el cartón, te sabe a cartón. Sé que es difícil preparar comida para ti mismo, pero inténtalo y, aunque la comida está bien cara, sigue siendo más caro comer en un restaurante. Muchos aseguran que el amor les entró por el estómago, así que invita duques o duquesas a tu casa (apartamento), quien quita y se convierten en tu príncipe o princesa. Encuentra un pasatiempo que te permita estar con gente; así evitaras que ese sentimiento de soledad te lleve a la ruina. Mucho, pero mucho cuidado con esto.

Que hacer como solteros

Lo que el soltero necesita es un plan por escrito. Un plan por escrito, le da al soltero control sobre sí mismo, confianza, dominio propio y fortalece su carácter. Esto es súper importante y cuando logre apegarte a tu plan, podrás decir que estás listo para conquistar el mundo. Un plan por escrito te ayuda a evitar malas decisiones y a convertir tus sueños en realidad.

¿Cómo evitas tomar malas decisiones? La mejor manera es fomentando una amistad con la persona a quien le tengas que rendir cuentas. Alguien con quien puedas discutir tus compras, alguien con quien puedas discutir tu presupuesto. Ahora, ¿quién califica para ser esa persona? Por supuesto que no es tu comadre, la que te dice: "Te lo mereces comadre, cómprate tres y uno para mí". No; estamos hablando de una persona que está dispuesta a decirte la verdad, a ofenderte por tu propio bien y aunque no te guste. La persona, a quien rindes cuentas, puede ser tu papá, tu abuela, tu tío —el millonario—, tu jefe, tu pastor, tu patrón; alguien a quien respetes por su sabiduría o estado económico. Para que me entiendas, tiene que ser una persona con costumbres de antes, costumbres de rancho, costumbres de abuelos. Una persona que te pueda ver a los ojos y, con amor, decirte: "No seas tonto, cómo vas a comprar eso".

Todos necesitamos a esa persona que nos dé una sacudida. Para los que estamos casados, automáticamente tenemos alguien a quien rendirle cuentas. Desde que entras a tu casa con una bolsa, te está preguntando: "¿Que te compraste qué?" Esto es parte del estar casado y no estoy diciendo que seas una persona incompleta. Lo que digo y repito es que dos cabezas piensan mejor que una. Encuentra a esa persona especial que está dispuesta a hablarte cara a cara y discutir temas importantes que te van ayudar a crecer en temas financieros, temas de política, temas de fe, temas que te harán crecer y tener éxito. Este principio de rendir cuentas es fundamental.

Me imagino que una de tus metas es encontrar a tu media naranja. Mientras eso sucede, mejora tu posición financiera. Para las mujeres, el dinero representa seguridad; así que un hombre bien administrado se ve mucho más guapo que uno que sigue viviendo con su mamá o uno más chiflado que un niño haciendo berrinche por otro juguete en la tienda. Lo que quiero decir es que aproveches tu soltería y que lo hagas con orden, sin cavar un hoyo del que te podría tomar una década en salir. ¿Te imaginas una mujer que está pensando en matrimonio e hijos —a propósito, ellas piensan en esto mucho antes que uno de hombre— y ver a su novio comportarse como niño? Cuando le pregunten "¿y tú media naranja?". "Allá, en el árbol, tratando de madurar". Ser una persona administrada te hace más atractivo. Como dicen en México "billete mata carita", y en Venezuela dicen "billete mata galán". Si alguna vez jugaste Nintendo, *Mario Bros* me enseñó que entre más moneditas tengas, es más fácil encontrar a tu princesa.

Es igual para los hombres. Soltero, ¿Qué prefieres? Una princesa derrochadora o una mujer administrada que sabes que cuidará el patrimonio de la familia. Para los que son solteros por segunda vez y ya estuvieron con alguien fuera de control, saben de lo que estoy hablando. Una persona que gasta sin medida, destruye su matrimonio. Aunque creo y sé que la gente puede cambiar, para cuando aprenden esto, puede ser muy tarde. Una princesa cree que cuando llegue su príncipe azul todo será mejor porque tendrá más para derrochar. Solteras, el hombre puede percibirlo. Por eso, la buena administración te hace una mujer más atractiva.

¡Me alegra tanto que estés dispuesto a transformar tus finanzas en 30 días! Estoy seguro de que te gustaría que todos, familia y amigos, lo hicieran también; especialmente, tus hijos. Es importante que recuerdes que estos treinta días son la base de tu camino hacia la Paz Financiera. Así que es necesario que te enfoques en lo que debes hacer en estos treinta días. Después, podrás enseñarles a tus hijos cómo administrar el dinero. Es vital para ti, y para ellos, que lo hagas. En la segunda clase del curso Paz Financiera explico, con detalle, cómo aplicar estos principios —desde los chiquititos hasta adolescentes— todos tienen que aprenderlos y practicarlos. Si tienes hijos, te recomiendo fuertemente que aprendas sobre este tema para que, más adelante, esos pajaritos vuelen por sí solos; al hacerlo, les garantizas el éxito y evitas que regresen al nido.

Padres y hermanos

En nuestra cultura se dice que familia apoya familia. Eso se dice porque los padres no se pueden sostener y la única manera de sobrevivir es depender de los hijos. Un señor me dijo: "Yo no ahorré, pero tengo un plan de retiro". "¿Cuál es tu plan?" le pregunté; y me contestó: "Yo *hice* 8 hijos y cada uno me va a mandar $500 dólares por mes". Es chistoso, pero no es la realidad. Yo me reuní con muchas parejas mayores y ninguno de ellos quería convertirse en una carga para sus hijos. Ellos saben que sus hijos están pasando por una etapa muy difícil donde tienen hijos pequeños y todo tipo de gastos. Ellos lo saben porque ya pasaron por ahí. A los que se ven envueltos en circunstancias así, les llaman la *generación sándwich* porque se están haciendo cargo de la generación más pequeña —sus hijos— y la generación mayor, sus padres. Muchas veces los padres no tienen alternativa y necesitan ese apoyo solo para sobrevivir.

En algunas ocasiones sucede, pero la mayoría de las veces los hijos nunca son presionados, los hijos por corazón deciden apoyar a sus padres. Lastimosamente, lo que sucede en muchas familias es un celo cuando uno empieza apoyar y pide que todos los hermanos hagan lo mismo. En vez de simplemente apoyar a sus padres, empiezan a poner presión sobre los otros hermanos para que cooperen con la misma cantidad, aunque ganen menos, y eso empieza una discusión bastante brava que puede hasta desintegrar a la familia. Mi recomendación es que, si tienes la capacidad de apoyar a tus padres hazlo. Habla con tus hermanos, pero no los obligues. Permite que ellos decidan por sí mismos según sus posibilidades. Me he topado con parejas donde el marido ganaba $1,400 al mes y quería estar mandando $600 a sus padres. Ahora los que no tienen para comer son sus hijos. Imagínate el matrimonio con algo así. "Pero es mi mamá", "Pero aquí están tus hijos". Se imaginan las discusiones… qué digo, las peleas callejeras que sucedían en esa casa. El problema no es que el hijo quiere apoyar a sus padres; el problema está en que los padres no se prepararon y se han convertido en carga para los hijos.

Este es un tema muy complicado y delicado, pero les puedo decir que en las familias donde se habló del tema, como pareja, y están de acuerdo en apoyar a los padres de él o de ella, lo hacen como parte del presupuesto y lo disfrutan sin que eso cause fricción en la pareja. Si pones en práctica lo que estás aprendiendo en este libro, tendrás independencia financiera y no pondrás a tus hijos en una posición así. Como ves, esta es otra razón para vivir estos principios.

Andrés ¿sería diferente si es mi hermano en vez de mi mamá? Yo creo que sí. Si tu hermano tiene dos piecitos y dos manitas, él tiene la responsabilidad de proveer para sí mismo y para su familia. Si tu hermano algún día te llama y necesita apoyo, pues son de la misma sangre, apóyalo. Si perdió la casa, por supuesto que puede quedarse en la tuya, pero antes de entrar hay que tener un plan para cuando vaya a salir. Si se ofende por esta conversación, tendrás una novela llena de drama en tu casa por el tiempo que él esté allí. El dicho dice: "el muerto y el arrimado al tercer día apestan", así que tú decides, pero 30 días es más que suficiente para que salgan de allí. Él puede encontrar cualquier trabajo e irse a un departamento o cuarto muy pequeñito con su familia. Una situación así no beneficia a nadie, él pierde su dignidad mientras más tiempo pase, y ustedes pierden su independencia como familia. Ya no puedes andar en calzones libremente por tu casa. Tú no bendices a tu hermano por solo abrirle las puertas, lo bendices al enseñarle a hacer un presupuesto y hablarle de un fondo de emergencias y de cómo administrarse para que esto nunca más le vuelva a suceder. No le das dinero, pero sí lo apoyas con tu casa y con comida. Por favor, no le des para el pago de su carro. Eso es lo que lo tiene en esta situación. Tú **no** puedes participar ni ser cómplice de su desorden financiero. Es como darle una cerveza a un alcohólico. ¡Cuidado! Porque los que se están ahogando dan patadas y dicen cosas feas. No te sientas presionado si tu hermano quiere manipular y hacerte sentir mal porque no le das dinero. No te olvides que tú has sido sabio, y él no.

No importa quién sea. Nunca, pero nunca, "ayudes" con dinero prestado. Si no estás en una posición estable tú no puedes ayudar. Es tonto sacar dinero de una tarjeta de crédito, para ayudar a alguien. Si tú también te estás ahogando, no puedes rescatar a un ahogado. La única manera de rescatar a una persona así es que desde tierra firme o del barco le tires una cuerda. Así que practica esto para poder ayudar a la gente cercana a ti. Más o menos, por el mismo rumbo, no firmes como codeudor ya que quien va a terminar pagando la deuda eres tú. A tu familiar le están pidiendo que alguien más firme porque saben que él no es digno de crédito. En otras palabras, ellos saben que no tiene la capacidad para pagar. Normalmente suena así, "Ya tenemos su carro listo, es más, ya está lavado, tenemos el préstamo aprobado, solo necesitamos una firma de un familiar para terminar". Eso es mentira, lo que realmente dijeron es que él no califica para el préstamo y por eso necesitan tu firma como codeudor para que pagues cuando familiar no pueda. Mira lo que Dios enseña sobre esto. *No te comprometas por otros ni salgas fiador de deudas ajenas; porque si no tienes con qué pagar, te quitarán hasta la cama en que duermes* (Proverbios 22:26-27, NVI). Espero que no llegues a ese punto donde tienes que tirarles una cuerda o firmar por alguien más, sino que tu ejemplo los inspire a cambiar y experimentar la paz financiera.

Como ves, esto del dinero y las relaciones es cosa seria. Por mucho que sepas de presupuestos e inversiones si no sabes cómo estar en unidad con tu cónyuge, tu matrimonio será un camino lleno de espinas que poco a poco se convertirá en un abismo entre ustedes. Y por favor, mantén la calma cuando venga tu cónyuge y quiera conversar sobre apoyar a sus padres. Véanse a los ojos y comprométanse a no permitir que esto del dinero los separe. Tú soltero, busca esa persona especial que te ayudará a crecer. El dinero esta entretejido en todas nuestras relaciones, pero a partir de ahora, dejará de ser la razón que les causa dolor y separación y será algo que los llenará de orgullo...pero del bueno.

5

El Matarruinas

¿Se acuerdan cuando de pequeños sus padres los llevaban al circo? Mi show favorito era cuando sacaban a los leones. Era increíble cómo un hombre con un látigo y una silla podía controlar 420 libras (200 kg) de músculo feroz. Un león maduro con colmillos de tres pulgadas (7,62cms.) fácilmente podría comerse al domador, pero se puede domar con esas herramientas. El domador no se atrevería a meterse en esa jaula sin el látigo y la silla porque las consecuencias serían mortales.

La única diferencia entre las consecuencias de confrontar un león sin el látigo y la silla y vivir tu vida sin un presupuesto es que en la primera te mueres físicamente y en la segunda, financieramente. "No, Andrés, no me hables de presupuestos, todo empezó muy bien con la historia del león y el látigo…, mira, yo ya intenté eso del presupuesto y no me funcionó. Y, además, ¿qué, los presupuestos no son para los negocios?" "Nosotros somos gente normal con ingresos normales". "Andrés, el presupuesto me va a amarrar y no me va a permitir comprarme una pizza cuando se me antoje". ¡Calma!, que *no panda el cúnico,* como decía el Chapulín Colorado. El presupuesto no es una camisa de fuerza y tampoco existe para crear un drama en tu vida. Al contrario, vivir con un presupuesto, acabará con mucho del drama en tu vida.

No te espantes solo por escuchar la palabra presupuesto. El temor no debe de venir por lo que representa un presupuesto; el temor debería ser que te des cuenta cuánto dinero ha pasado entre tus manos y no tienes nada para demostrarlo. Te voy a dar un ejemplo. Pablo Porras gana $40,000 dólares al año. Lo que significa que, en los próximos diez años, él va a ganar $400,000 dólares. Ahora, llena los espacios en blanco para que puedas ver tu caso personal. Tú ganas _____ por año. Ahora multiplica esa cantidad por 10, lo que da igual a _____. El temor debería ser que, si no cambias la forma en que gastas tu dinero, van a pasar 20 años más y todo seguirá igual, trabajando y trabajando para apenas sobrevivir. ¿Cuál es tu plan para quedarte con algo de ese dinero? Yo no puedo creer cómo la gente cambia de canal cuando escuchan la palabra *presupuesto,* pero si les pregunto, ¿cuál es tu alternativa? No la tienen. Después de diez años metido en una oficina asesorando a muchas familias, te puedo decir que la gente rica tiene un presupuesto. "Bueno, Andrés, si yo fuera rico también tendría un presupuesto". No me expliqué. Ellos son ricos por tener un presupuesto. Esta es el arma secreta para salir del hoyo, construir un fondo de emergencias e invertir para tener independencia financiera.

Una pregunta que nunca me han hecho es, ¿Cómo gasto mi dinero? La pregunta, siempre es, ¿cómo le hago para ahorrar? ¿Cómo controlo mi dinero? No creo que tenga que extenderme mucho en este tema porque todos somos expertos en gastos, ¡a que sí! Donde sí te quiero ayudar es en no gastar a lo loco. Por ahorita, ya sabes que la manera de no gastar de más es con el arma secreta de los ricos: el presupuesto. Si permites que el presupuesto te guíe, nunca te vas a meter en problemas. Entonces necesitamos aprender a gastar y de eso se trata este capítulo.

> El presupuesto es el arma secreta para salir del hoyo, construir un fondo de emergencias e invertir para acumular riqueza.

¿Por qué la gente choca financieramente habiendo buena señalización?

Ya sean rótulos, focos amarillos o tambos de basura con fuego, uno sabe que tiene que conducir con precaución. De la misma manera, el carro avisa si hay algo mal con los frenos, el motor y hasta el sistema de combustión con la famosa lucecita amarilla *Check Engine*. Cuando esa lucecita se enciende, rápidamente, acudimos a un mecánico o hasta a una tienda de repuestos porque allí tienen el aparato para saber qué anda mal con el carro. En lo físico, también tenemos instrumentos muy eficientes para saber cómo andamos. Algunos los tenemos en casa y otros están en la clínica médica. De los que tenemos (o deberíamos tener) en casa, el primero es la *noti-báscula*. Seguramente la conoces como la "báscula", a secas; yo la llamo *noti-báscula* porque esa cosa da peores noticias que el noticiero matutino. Pero tengo un amigo que le llama la *#@$!-báscula* (ellos tienen una relación obligación-odio… ustedes me entienden). El segundo es el deslenguado espejo; ya sé que el espejo solo refleja lo que tiene enfrente, pero ¿por qué cada vez que me paro frente a él, me acuerdo de mi vecino, el deslenguado, que siempre dice lo que uno no le pregunta y que, además, a él ni le importa? "¡Ay! Qué bien lo atienden, mire cómo se le va redondeando la figura" (Grrr). No hay nadie más honesto que la báscula, ella nos va a notificar lo que, casi siempre, no nos gusta saber, pero es un buen aviso y, generalmente, muy a tiempo. El espejo confirma lo que la báscula dice; pero, deslenguado al fin, ¡hasta señala con exactitud las áreas a tratar!

Ahora bien, ¿por qué cuando se trata de algo más personal, como nuestra salud o nuestras finanzas, tendemos a ignorar las señales en vez de darles prioridad? En cuanto al dinero, también hay varias señales que te ayudan a reconocer que estás en una "zona roja". Aquí te voy a presentar cuatro de las más básicas. ¿Listo?

1. No alcanzas a llenar el tanque de gasolina. Después de la comida, el techo y los servicios básicos —como luz y agua— vienen los gastos de transporte, pues hay que ir a trabajar. La gasolina es una de las necesidades más importantes si tienes carro. Si no tienes, entonces sería el transporte público. Debes tener lo suficiente para llenar el tanque o cubrir el pago de transporte.

2. Tienes menos de $100 dólares en tu cuenta. Tener menos de $100 dólares es vivir en el filo de la navaja financiera. Nada bueno sale de esto; al contrario, aquí es cuando muchos terminan regalando el dinero —que no tienen— al pagar cargos por sobregiro.

3. Sacas dinero de una tarjeta para pagar la otra. Esto es como alimentar un monstruo que come y come dinero y crees que se está reduciendo. Muchos justifican esto con el cuento de que lo hacen para "reducir el interés", pero la verdad es que la deuda sigue creciendo y no la estás eliminando. Como dicen mis amigos puertorriqueños, estás "desvistiendo a un santo para vestir otro".

4. Pides dinero prestado a un amigo o familiar. Esto tiene consecuencias muy graves. Primero que todo, la vergüenza de pedir prestado. Lo peor es que la relación está en riesgo porque este tipo de transacciones terminan destruyendo una amistad valiosa y hasta a una familia muy unida.

Si solo una de estas señales está presente en tu vida, todo tipo de focos rojos, alarmas, sirenas, o lo que sea que llame tu atención deberían estar sonando en tu mente constantemente para decirte: "¡Tienes que cambiar de rumbo!". Cuando nos paramos en la báscula, se hace obvio si tenemos o no un problema. El espejo demuestra que la gordur... —perdón— la gravedad existe y que no vamos por buen camino, pero ¿por qué no hacemos algo al respecto? ¿Qué estamos esperando? Les tengo noticias, no se van a ganar la lotería ni van a recibir una herencia pronto, y aunque así fuera, ¿de dónde van a sacar la salud para disfrutarla, o la sabiduría para

> **La vida es demasiado corta para vivir en estrés financiero; en otras palabras: sin un presupuesto.**

administrarla y protegerla? La vida es demasiado corta para vivir en estrés financiero; en otras palabras: sin un presupuesto.

Otra típica señal para saber que no tienes control del dinero es cuando dices: "No me rinde el dinero". Otros dicen: "No me alcanza el dinero", lo que significa que no llegas a fin de mes. Qué horrible es llegar al día 26 del mes y no poder dormir porque se acerca rapidísimo la fecha para pagar la casa o el alquiler y no tienes el dinero; y para empeorar las cosas, no hay leche, ni huevos en el refrigerador. Nosotros, los hombres, podemos ver que el auto que usa nuestra esposa necesita cambio de llantas, pero qué horrible que por no tener dinero estás poniendo en peligro la seguridad de ella y de tus hijos; entonces, terminas justificando comprarlas a crédito porque eres un hombre que se preocupa y provee seguridad a su familia. Por decisiones como esta uno se hunde más y después se pregunta. "¿Por qué debemos tanto si no tenemos una vida de lujo?". Esa sensación de no tener para las llantas o para la medicina del niño o simplemente para la comida es la ruina. Esta ruina puede llegar por perder el trabajo, aunque esa razón es la menos común. La mayoría de los que viven en la ruina no han perdido su sueldo, simplemente no tienen control sobre el dinero, no hay un presupuesto en la casa. Si estas señales están presentes, empieza hoy mismo a cambiar la dirección de tus finanzas. ¡Ya basta! Es hora de pelear por una mejor vida, por una vida en paz financiera y la victoria solamente llega a través del famoso presupuesto.

La pereza de la gente les ha dado una mala reputación a los presupuestos y suenan complicados, pero no lo son. Escuchar esa palabra le causa temor como si fuera el monstruo del clóset. Saca a ese monstruo del clóset y ponlo bajo la luz para que veas que no es un monstruo, sino un superhéroe que te va a ayudar a vivir en paz financiera. Tener y vivir bajo un presupuesto significa que tienes un plan para tus ingresos. Si simplemente no te gusta o te espanta la palabra presupuesto, llámale *plan de gastos*. No te prometo llamarle de esa manera por el resto del capítulo, pero cuando yo diga *presupuesto*, tú piensas, *plan de gastos*. Una de las mejores frases que he escuchado sobre un presupuesto viene de John Maxwell: "Un presupuesto es simplemente decirle a tu dinero qué hacer en vez de preguntar a dónde se fue".

Presupuesto igual a cero

Mira lo sencillo que es. En la parte de arriba de una hoja en blanco escribe tus ingresos mensuales familiares (familiares: lo que todos los miembros de la familia reciben, incluyendo al perro si lo alquilas para crianza o de guardián; ah, y si tienes gallinas, la producción de huevos también la incluyes), y después gástatelo hasta cero. —"Jajaja, hoy sí me hiciste reír, Andrés. Eso es exactamente lo que hago, gastármelo todo hasta quedar en cero. No veo por qué tengo que hacer ese papelito"—.

PRESPUESTO IGUAL-A-CERO

Ingreso Neto

Sume la columna de lo "Presupuestado" y coloquelo aqui

Use el sistema de sobres cuando vea este simbolo

♥ DONACIONES — Presupuestado

Diezmo
Caridad y Ofrendas

*10–15%

🍎 SUPERMERCADO — Presupuestado

✉ Comida
Otro

*5–15%

🚗 AHORROS — Presupuestado

Fondo de Emergencia
Fondo de Jubilación
Fondo Universitario

*10–15%

👕 ROPA — Presupuestado

✉ Adultos
✉ Niños
Lavandería y Tintorería

*5–15%

🏠 VIVIENDA — Presupuestado

Primera Hipoteca/Renta
Segunda Hipoteca
Impuestos a la Propiedad
Mantenimiento/Reparaciones
Costos de Asociación

*25–35%

🚙 TRANSPORTACIÓN — Presupuestado

Pago de Auto
✉ Gasolina y Aceite
Lavandería y Tintorería
Licencia e Impuestos
Remplazo de Auto
Otro _____

*5–15%

⚙ SERVICIOS PÚBLICOS — Presupuestado

Electricidad
Gas
Agua
Basura
Teléfono/Celular
Alarma
Internet y Cable

*5–10%

🩺 SALUD/MÉDICO — Presupuestado

Medicinas
Pagos Médicos
Dentista
Optometrista
Vitaminas
Otro _____

*5–15%

PRESPUESTO IGUAL-A-CERO

🛡 SEGURO — Presupuestado

Seguro de Vida _____
Seguro Médico _____
Seguro de Vivienda/Inquilinos _____
Seguro de Auto _____
Seguro de Incapacidad _____
Seguro de Robo de Identidad _____
Seguro Médico a Plazo Largo _____

*10–25% _____

🏃 RECREACIÓN — Presupuestado

✉ Entretenimiento _____
✉ Vacaciones _____
✉ Restaurantes _____
✉ Cine _____
✉ Hobby _____
✉ Música/Tecnología _____
✉ Renta de Película _____

*5–10% _____

👤 PERSONAL — Presupuestado

Guardería/Cuidado Infantil _____
Cosméticos/Peluquería _____
Educación/Matrícula _____
Libros/ Útiles Escolares _____
Manutención del Menor _____
Manutención del Cónyuge _____
Cuotas de Asociaciones/Gimnasio _____
Regalos (Navidad, etc.) _____
Remplazo de Muebles _____
✉ Caja Chica (Para Él) _____
✉ Caja Chica (Para Ella) _____
Gastos para el Bebé _____
Mejoras a la Casa _____
Gastos para la Mascota _____
Apoyo a los Padres _____
Jardinería _____
Misceláneo _____
Otro_____ _____
Otro_____ _____

*5–25% _____

🔗 DEUDAS — Presupuestado

Tarjeta de Crédito 1 _____
Tarjeta de Crédito 2 _____
Tarjeta de Crédito 3 _____
Tarjeta de Crédito 4 _____
Préstamo Universitario 1 _____
Préstamo Universitario 2 _____
Préstamo Personal _____
Préstamo Personal _____
Préstamo de Propiedad de Inversión _____
Préstamo de Propiedad de Inversión _____
Otro_____ _____
Otro_____ _____

*10–15% _____

Después de llenar cada categoría, reste el
"TOTAL DE LAS CATEGORÍAS" de su "INGRESO NETO."

Ingreso Neto _____

Sume el total de todas las categorías _____

Recuerde –
La meta del BALANCE es un resultado igual a cero. _____

Pon atención, te lo voy a escribir paso a paso.

- En una hoja de papel en blanco escribe en la parte superior, hacia la derecha, el total de los ingresos familiares.
- Escribe cada gasto que se hace en tu casa. Empieza por los gastos básicos: techo, comida, ropa, servicios, transporte, etc.
- Escribe los gastos que no son mensuales, como servicios de mantenimiento, dentista, arreglo personal, etc.
- Escribe los gastos que se hacen una vez por año (esta cantidad debes dividirla entre 12), Navidad, llantas, impuesto de circulación, vacunas, alquiler de equipo escolar, regalos de cumpleaños, celebración de aniversario, etc.

Como ves, todos los gastos van en ese "papelito", que ya te habrás dado cuenta que es muy importante porque previene los gastos "sorpresa".

Volviendo al tema, a lo que yo llamo "gastárselo todo" es exactamente lo que te acabo de explicar. El "gasto" se hace en el papel. Todo lo que entra, menos todo lo que sale, debe igualar cero. De ahora en adelante, dejas de vivir basándote en lo que hay en la cuenta de banco y vives bajo lo que dice ese papel. De esta manera ya no tendrás gastos por sobregiro y, lo más probable, es que tampoco te cobren manejo de cuenta. Ya viste que no es por *arte de magia*; es más bien por *arte de disciplina*. Es liberador dejar de tener que ver la cuenta de banco para ver si hacen un gasto o no. Algo más que sucede es que tu cuenta de banco empieza a crecer. Todos los gastos que no se pagan mensualmente como la Navidad, seguro de la casa y carro (si los pagas anualmente es mejor porque te ahorras algo de dinero), impuestos de la casa etc., hacen crecer tu cuenta. Eso no significa que es dinero para derrochar en lo primero que se te antoje; significa que dejas de vivir con cuentas de banco que bajan a menos de $100 y empiezas a vivir con cuentas de banco con miles de dólares. Como te dije, esto es liberador.

En el papel no en piedra

Las personas que nunca han hecho un presupuesto dicen que si lo hacen se sentirán como si tuvieran una camisa de fuerza. Tengo casi dos décadas de hacer esto y a nadie de los que he ayudado ha dicho algo así. Lo que sí les puedo decir es que hay unos sabelotodo que lo quieren hacen en tablas de piedra, lo cual tampoco es lo correcto. En los primeros meses harán muchos ajustes, es parte de ir entendiendo el funcionamiento de tu hogar. Después de unos meses no cambia mucho, pero sigue siendo algo fluido por eso, tanto en los negocios como en la casa, se le llama *flujo de dinero* porque es fluido. Todos los meses, debemos de sentarnos a revisar el presupuesto para el mes siguiente. Lo mejor de esto es que si no te gusta lo puedes cambiar; es tu presupuesto y tú lo controlas. ¿Entendiste eso sabeloto-do? Querer ponerlo en tablas de piedra y decir ya se decidió y no se puede cam-biar está mal. No estoy hablando de darles permiso a los bohemios para que no lo respeten, pero tiene que haber cierta flexibilidad en que, si algo surge, podemos volver al presupuesto y hacer unos ajustes para ese mes. Por ejemplo, qué tal si llegan unos familiares y quieren ir a la playa. Si llevan un presupuesto, rapidito hacen una junta presupuestal y determinan si pueden hacer este gasto. Bohemio, lo que no pueden hacer es dejarse llevar emocionalmente por la arena, las olas y el bello sonido de las olas y olvidarse de que existe un presupuesto. Durante la junta presupuestal podrán hacer un ajuste, como tomar el dinero de entreteni-miento para esa semana más parte de la categoría de la ropa. Ahora bien, si están en una situación muy crítica, irse a la playa significa que continúan tomando decisiones por emoción en vez de ordenarse; lo más triste es que si lo hacen, nada va a cambiar, seguirán siendo víctimas de ustedes mismos. Tienen que llegar el punto donde se convierten en adultos maduros que aprenden a decir *no*. Cuando no se pueda, díganle a sus familiares: "Nos encantaría, pero no los podremos acompañar; vayan ustedes y los esperamos en casa para cenar". Como ven, hay cierta flexibilidad, recuerden: flexibilidad es poder hacer ajustes al presupuesto; libertinaje es ignorar el presupuesto. Sería como decir: "Mi amor, ¿qué te parece si no comemos por el resto del mes, pero vamos a la playa para aprovechar que aquí están tus familiares y no sabemos cuándo los vamos a volver a ver?". Mejor organícense para estar preparados antes de que lleguen sus familiares.

Calma sabelotodos

Otro peligro es cuando los sabelotodo quieren hacer presupuestos de 14 páginas en Excel; todo coordinado, conectándose a los bancos donde se necesita un pro-gramador para hacer cambios. Si se necesita un doctorado en administración de empresas con una maestría en contabilidad para seguir tu presupuesto, eso no va a funcionar porque nadie podría cumplirlo. Tranquilo sabelotodo, no se trata de mostrar todo tu conocimiento y capacidad, sino de hacer brillar tu inteligencia para atraer la atención y el compromiso de un bohemio. Entonces, haz un pre-supuesto efectivo; es decir, con suficiente detalle, realismo y fácil de entender. El otro extremo peligroso es donde quieren vivir los bohemios, en el presupues-to memorizado. Un presupuesto memorizado es como las buenas intenciones: no sirve. ¿Qué sucede cuando vas al supermercado sin una lista? Andas como ratón, rondando pasillo por pasillo y metiendo al carrito todo lo que crees que necesitas. Cuando regresas a casa, te encuentras con otra botella de kétchup que no necesitabas. En vez de haber ido por unas cuantas cosas en una lista, sales de ahí con una cuenta de remordimiento, diciendo: "mira lo caro que están las cosas." Es verdad, la comida se ha puesto bien cara; pero es más caro vivir sin un presupuesto porque nunca hay un plan por escrito que los guíe. Hay una historia en la Biblia donde Dios le dice al profeta Habacuc *"Escribe la visión y haz que resalte claramente en las tablillas, para que puedan leerse de corrido. Pues la visión se realizará en el tiempo señalado; marcha hacia su cumplimiento, y no dejará de cumplirse* (Habacuc 2:2-3, NVI). Hasta cierto punto le dijo, "no solo les digas, porque se les olvida; ponlo por escrito para que esté frente a ellos y marchen hacia la visión. ¿Qué significa eso para nosotros en cuanto al presupuesto?, que, si no está en papel, no existe.

Si quieres terminar con la loquera de cargos de sobregiro y dejar de vivir siempre en la miseria (escasez) necesitas comprometerte a nunca más gastar en algo si no está en tu plan. Si llega un gasto que es importante, pero no está en el presupuesto, habla con tu cónyuge para decidir qué categoría van a reducir para poder hacer ese gasto. No hay otra manera, no hay un programa de software, no hay una aplicación de teléfono que lo vaya a hacer por ti. No estoy diciendo que no aproveches los recursos disponibles si te gusta la tecnología, es más, hay unas aplicaciones buenísimas, pero a lo que voy es que ninguna de estas convierte a un niño en adulto. Tú tienes que decidir comportarte como adulto y dejar de gastar el dinero que no tienes. Para hacer que el dinero se comporte, necesitas un presupuesto.

Durante una presentación, hablando del presupuesto, una señora se me acercó y me dijo: "Andrés, todo eso suena muy bien, pero yo no puedo hacer un presupuesto". Le pregunté por qué y contestó: "Estoy bien apretada y a veces hasta uso la tarjeta de crédito, si hago un presupuesto no me va a alcanzar". El presupuesto solo es un plan, no hace que te alcance o que no te alcance, solo es un plan sobre cómo gastar lo que ganas y evitar que te metas en deudas. Si el presupuesto muestra que no te alcanza, es porque tus gastos son mayores que tus ingresos. El presupuesto no tiene la culpa de las cantidades que escribes, lo único que hace es reflejarte claramente hacia dónde estás enviando tu dinero. Si estás en una situación similar a

> **No es complicado hacer un presupuesto, lo más difícil es apagar la televisión para sentarse a escribirlo.**

la de la señora, lo que tienes que hacer es ajustar tu presupuesto para que tus ingresos menos tus gastos sean igual a cero. Esto no significa limitarte y reducir tu nivel de vida, significa bajarte de la nube y entrar en la realidad de tus ingresos. Si nunca has hecho un presupuesto y ya te sientes amarrado, tú lo necesitas más que nadie. Te ayudará a experimentar la libertad y la paz que trae planificar tus gastos pues, en ese proceso, tomas decisiones, previenes gastos sorpresa y cubres a cabalidad todas tus necesidades; eso quita el estrés y evita que se te hunda el barco.

Realmente no es complicado, lo más difícil de todo esto es apagar la televisión después de acostar a los niños y sentarse a escribirlo. Lo único que necesitas es saber matemáticas de segundo grado. Recuerda que las consecuencias de no vivir bajo un presupuesto son las mismas que entrar a la jaula de los leones sin el látigo y la silla.

Gastos peligrosos bajo control

Hay ciertas categorías que uno paga girando un cheque y lo enviamos por correo. Cada vez son menos, pero muchos pagan de esta manera los servicios básicos como la luz, el agua, la hipoteca. Otros, lo hacen en el supermercado o directamente en las oficinas de los que proveen esos servicios. Yo veo esas filas de gente parada y me pregunto si están regalando algo, pero es todo lo contrario, les están quitando dinero. Yo, ni loco, me meto ahí. Sé que el pago bancario no está disponible en todos los países, pero si está a tu alcance, úsalo; es la manera más segura de hacer un pago y que llegue a tiempo. Hay otro tipo de gastos o retiros de nuestra cuenta bancaria que autorizamos que salgan automáticamente, como inversiones y el pago de seguros. Pero hay otras categorías que nos meten en problemas. Estas son las causantes de que a muchas familias no les funcionara el presupuesto. Estoy hablando de categorías como la comida y la ropa. Si pones en tu presupuesto $100 para ropa, ¿cómo te atienes a esa cantidad? Si pones en tu presupuesto $300 para entretenimiento (como salir a comer, ir al cine, etc.), ¿Cómo te atienes? ¿Cómo le haces para no pasarte? Cómo sabes cuánto llevas gastado. Una técnica es que anotes todo y funciona, pero qué pesado, especialmente si quien hace las compras es un bohemio. Yo lo intenté y, a pesar de que soy muy meticuloso, se me olvidaba anotar ciertos gastos y terminaba pasándome. Un día escuché a Dave Ramsey hablar del sistema de sobres e, inmediatamente, cobró sentido y lo vi como la solución para controlar el dinero. El presupuesto debe ir acompañado del sistema de sobres. El sistema de sobres es algo sencillo y funciona. Esas categorías que te sacan del presupuesto necesitan ser administradas con efectivo en un sobre. Por ejemplo, toma un sobre y escribe la palabra "comida". Guarda en el sobre, en efectivo, la cantidad que presupuestaste y la próxima vez que vayas a comprar comida, te llevas el sobre y solo compras comida de ese dinero. El día que se acabe el dinero del sobre, dejas de comprar comida. Así de sencillo. No solo te vas a administrar mejor sino te vas a quitar de encima algunas libritas. Como el señor que le preguntó a su mujer: "Oye vieja... ¿me veo gordo con estos pantalones?". "Mira, viejo, con esos pantalones, sin esos pantalones, en shorts, con una toalla, sin toalla con todo lo que te pongas o te quites, te ves gordito".

Esto, como mucho de lo que te he compartido en este libro, no es nuevo. Resulta que Dave Ramsey no inventó el sistema de sobres, sino que es una técnica que se ha pasado a través de las abuelas. Lógica y sentido común para tu dinero, te lo dije desde el principio. A pesar de lo sencillo que es añadir el sistema de sobres a tu presupuesto, hay algo complicado; sin embargo, no tiene nada que ver con el sistema de sobres, sino contigo. El día que se acabe el dinero tienes que tener la madurez para decir: se acabó. Ya no hay dinero para el entretenimiento hasta el próximo mes. Dejamos de salir a comer o ir al cine hasta que depositemos más dinero en ese sobre. Esto no es difícil, pero tu corazoncito hambriento de cosas lo puede complicar.

Les contaré una historia personal. La primera vez que hicimos el presupuesto, estábamos peleando por la cantidad de dinero para el súper. "Es que no me alcanza", me dijo Zaira mi esposa. "Es que gastas demasiado, solo somos tú, yo y el bebé". Y allí, en medio de esa discusión, le dije: "Mira, acabo de aprender del sistema de sobres y creo que nos va a ayudar. ¿Cuánto necesitas para la comida?". Me dijo: "$500, pero si me das $400, lo hago funcionar". Así fue como empezamos a utilizar los sobres. Pero al principio no nos funcionó. Se nos acababa el dinero poco antes del fin de mes y no era realista pasarnos sin comer una hamburguesa o salir en 10 días. Hicimos un cambio y empezamos a depositar la misma cantidad mensual, pero por semana en vez de una vez por mes y *voilá*. Se acabó la crisis, se acabó el drama, se acabaron las discusiones porque ahora estábamos con un presupuesto y lo respetábamos. Recuerdo un día que íbamos camino al súper y nos dimos cuenta que olvidamos el sobre. Dimos la vuelta y regresamos por el sobre hasta la casa. Fue casi como que hubiéramos encendido un *switch* que nos recordaba: "tenemos un sobre y lo vamos a respetar". Hasta la fecha ciertas categorías las operamos con efectivo y los sobres. También recuerdo la primera vez que llegamos al fin de semana con solo $11. Antes simplemente habríamos salido a comer con la tarjeta de crédito pensando: "solo es una comida, nosotros ganamos suficiente para pagar por una comida". "¿Qué tanto daño puede causar una comida?". Esa vez teníamos solo $11dólares y logramos llegar hasta el final del domingo; básicamente, no hicimos nada que costara dinero. Más que sobrevivir con $11 dólares, ganamos una batalla de autocontrol y creció nuestro carácter. El deseo de salir de la ruina y cambiar la forma en que manejábamos nuestras emociones fue más fuerte que las ganas de justificar el por qué nos merecíamos un "*respiro*."

Te recomiendo que, inmediatamente, escribas en sobres cuatro categorías: comida, ropa, entretenimiento y gasolina. Estas son de las más peligrosas que te sacan de tu presupuesto. No tienes que limitarte solo a cuatro categorías. Puedes hacer un sobre para el mantenimiento de los carros y así la próxima vez que se descomponga no es una emergencia y estás preparado. Muchas personas reciben su ingreso completamente en efectivo y he visto a personas tener una cajita con sobres para todas las categorías. Hay quienes cuestionan este sistema diciendo que es peligroso llevar tanto efectivo y tenerlo en la casa. Llevar contigo el dinero para el entretenimiento de la semana no es mucho dinero, además, nadie sabe qué estás haciendo eso. Es mucho más riesgoso continuar con el mismo comportamiento, que tener algo de efectivo para, finalmente, administrarte como debe ser.

Madres y padres solteros

Madre soltera, esto es lo que te evita entrar en un espiral financiero de caída libre cuando tu "ex" no cumple con la manutención al menor. Si ganas $1,500 y tu exesposo te manda $500, y un mes no cumple por cualquier motivo o excusa, haces un ajuste en tu presupuesto y logras cubrir lo básico para ti y tus hijos. Cuando te sientas cansada y no quieras saber nada de números, si sientes que no rinde, solo piensa que la alternativa de no hacer un presupuesto es una trampa para entrar en esa vida loca de andar pidiendo préstamos a todo mundo tratando de llegar a fin de mes. Recuerdo una madre soltera que conocimos en la iglesia y la visitamos para pasar tiempo con ella. Hicimos que nuestros hijos fueran a jugar con los hijos de ella para poder tener una plática entre adultos. A mí me encanta hacer reparaciones y mientras conversábamos, yo andaba cambiando focos y revisando llaves por si tenía fugas. Fuimos testigos de lo difícil que es ser una madre soltera cuando el dinero no rinde. Cuando saqué el tema de las finanzas, le pedí que, en su computadora, fuera a cierta página. Fue entonces cuando me dijo que no tenía computadora porque la había vendido para pagar la luz. Madres y padres solteros: mientras tengas un sueldo, esto no te debería suceder. Llevar un presupuesto es lo que tendrá más impacto en tu vida para vivir en paz financiera. Un día es mucho para esperar. No te acuestes sin tener esto hecho.

El presupuesto irregular

Cuántos de los que leen este libro dirán: "Suena maravilloso, pero no es para mí. Andrés, tú estás dándole instrucciones a personas que saben cuánto van a ganar el próximo mes porque tienen un sueldo fijo. Yo gano por comisión, tengo un negocio y no sé cuánto voy a ganar el mes siguiente". Créeme que entiendo tu frustración porque yo también pensé lo mismo cuando aprendí sobre el presupuesto. Desde que empecé a trabajar tuve un ingreso irregular. Me dijeron que era un asesor financiero, pero la verdad es que era un vendedor de seguros. Un poco más adelante, cuando obtuve las licencias para hacer inversiones, me sentí como un asesor, pero el punto es que yo no contaba con

PRESUPUESTO PARA UN INGRESO IRREGULAR (instrucciones y muestra)

Muchas personas reciben un ingreso irregular y, por eso, creen que no pueden hacer un presupuesto. Si eres dueño de tu propio negocio o si trabajas por comisión, regalías o cuenta propia, es difícil planificar los gastos debido a la variación de los ingresos de un mes a otro. De todas maneras, si quieres ganar con el dinero necesitas controlar tus ingresos con un presupuesto.

Aunque tu ingreso varíe, es muy probable que haya una cantidad con la que puedas contar; ya sea que tu negocio genere, por lo menos, cierta cantidad o que cuentes con el ingreso de tu cónyuge. Veamos un ejemplo donde esa cantidad son $2,000 dólares. Haz un presupuesto igual-a-cero con esa cantidad. Si el próximo mes solo entran $2,000 dólares, ya saben qué hacer exactamente para no irse en números rojos. Obviamente, hay categorías importantes que no caben en este presupuesto limitado, y aquí está la magia para poner tu ingreso irregular bajo control.

Haz una lista de las categorías que no cupieron en el presupuesto normal con sus respectivas cantidades mensuales. Después, pregúntate: "Si pudiera cubrir solo una categoría, ¿cuál sería?; y a esa le escribes #1. Después, te vuelves a hacer la pregunta "si pudiera cubrir una segunda, ¿cuál sería?; y le escribes #2, y así sucesivamente hasta que todos estos rubros tengan un número.

CATEGORÍAS QUE NO CABEN EN PRESUPUESTO IGUAL-A-CERO

#	Artículo	Cantidad	Cantidad acumulada
#5	Reemplazo de carro	$300	$300
#2	Regalos de navidad	$100	$400
#1	Restaurantes	$200	$600
#3	Regalos de cumpleaños	$100	$700
#4	Vacaciones	$250	$950
#6	Mejoras para la casa	$100	$1,050

Después, vuelve a escribir esta lista en orden de prioridad. Si el próximo mes entran $2,600 dólares, los $600 por encima del presupuesto Igual-a-cero te los gastas, hasta donde alcance, en esta lista. Si el siguiente mes entran $3,000, los $1,000 adicionales te los gastas desde la categoría #1 hasta donde alcance. Esta lista tiene que ser lo suficientemente larga para que nunca te sobre dinero. Todo el dinero que entra por encima del presupuesto normal tiene que tener un destino.

PRESUPUESTO IRREGULAR EN ORDEN DE PRIORIDAD

#	Artículo	Cantidad	Cantidad acumulada
#1	Restaurantes	$200	$200
#2	Regalos de navidad	$100	$300
#3	Regalos de Cumpleaños	$100	$400
#4	Vacaciones	$250	$650
#5	Reemplazo de carro	$300	$950
#6	Mejoras para la casa	$100	$1,050

el mismo ingreso todos los meses. Dije: "Bueno, tal vez todo lo demás aplica, pero esto no". ¡Qué equivocado estaba! Y qué bueno que sí se puede llevar un presupuesto cuando no hay un sueldo fijo. Aunque no ganes lo mismo cada mes, estoy seguro que hay una cantidad mínima que sabes que va a entrar el mes próximo. Puede ser el sueldo de tu esposa/o, o bien, hay una cantidad mínima que vas a generar.

"Andrés, yo puedo ganar entre $3,000 y $5000. Y lo he ganado, pero —de seguro— puedo contar con $2,000". Entonces, haz un presupuesto normal, como lo hacen los que tienen sueldo fijo, con $2,000. Si el próximo mes solo entran $2,000, ya sabes exactamente qué hacer en vez de entrar en pánico y no tener para la casa. Mira, lo que vamos a hacer con el resto de las categorías que no alcanzaron con esos $2,000, es una lista de ellas con la cantidad mensual que necesitan para esas categorías. Por ejemplo: en el presupuesto de $2,000, no alcanza para atacar las deudas agresivamente, sino solo para mandar el mínimo. Una categoría para la que no alcanza en el presupuesto de $2,000, serían las vacaciones porque con $2,000 solo alcanza para la casa y las necesidades básicas. Ya que tengas esa lista con sus cantidades mensuales, pregúntate "si tuviera un dólar más, dónde lo pondría". Dicho de otra forma, si pudieras cubrir una categoría más, ¿cuál sería la más importante? A esa le pones el número uno. Si tuvieras otro dólar, ¿a qué categoría se lo pondrías? A esa ponle el número dos y así sucesivamente hasta que todas tengan un número de prioridad. Ahora, vuelve a escribir esa lista en orden de prioridad. El próximo mes que recibas $3,000, en vez de celebrar y hacer una fiesta en grande e invitar a toda la familia, ya tienes un plan para ese dinero. Empieza a aplicar ese dinero a tu lista en orden de prioridad. Si la primera categoría es el reemplazo de carro y has presupuestado $350 por mes para eso, entonces te quedan $650 para el resto de las categorías en orden. Probablemente no llegues hasta la última categoría en tu lista, todo dependerá del ingreso que obtuviste. Si el próximo mes solo entran $2,600, haces lo mismo; empiezas con la primera y hasta donde alcance el dinero. Si el mes siguiente entran $5,000, entonces sí podrás irte hasta abajo en la lista y poner dinero en esa última categoría que, seguramente, es un total capricho.

Si realmente quieres traer orden a tu vida no te escapas del presupuesto con la excusa del ingreso irregular. No se trata de encarcelarte sino de traerte paz para que te vaya mejor en tu negocio. Una persona desesperada no puede vender porque tiene aliento a comisión y la gente lo puede detectar. Aunque te digan, "Déjeme pensarlo", lo que realmente sucedió es que te olieron y dijeron *fúchila*, este solo me quiere vender algo. Si tú no estás preocupado por el pago de tu casa, puedes tratar con ese cliente con mucha transparencia; ellos podrán detectar tu corazón y saber que estas poniendo sus intereses antes que los tuyos, y ¿qué crees?, la mayoría termina comprando con mucho gusto y hasta te refieren.

El presupuesto en el multinivel

Para ti que ya llevas algún tiempo de generar ingresos continuamente con tu negocio multinivel, esto del presupuesto es vital para poder dar el salto y trabajar en tu negocio a tiempo completo. Muchos han dado ese salto sin tener este tipo de orden en sus finanzas y el resultado y ha sido desastroso. Por esa motivación tan fuerte que traen por vivir de su negocio de multinivel, muchos hasta han perdido a su familia porque, al hacer el cambio, terminan descuidando el bienestar financiero de ellos. La mayoría de la gente no tiene idea alguna de cuánto les cuesta vivir de mes a mes. Saben de una cantidad aproximada, pero la falta de orden es la razón principal de la autodestrucción de sus sueños. Se emocionaron y dieron ese salto antes de tiempo. Un prepuesto te muestra claramente cuánto necesitas mensualmente; esa debe ser tu meta y debes alcanzarla, por lo menos, durante tres meses consecutivos; una vez que lo hayas logrado, puedes dar ese salto. Recuerda, durante el tiempo que alcances la meta, debes tratar de usar solo ese ingreso para sobrevivir. Lo que significa que el ingreso de tu trabajo regular debes ahorrarlo. La idea es que te compruebes a ti mismo que puedes vivir de lo que genera tu negocio. Si tienes poco tiempo en el negocio de multinivel, para ti será un gasto más que un ingreso. No estoy en contra de eso pues creo que todas esas conferencias realmente te ayudarán, no solo para aprender más sobre el negocio, sino que allí realmente comparten principios de éxito que te ayudarán en muchas otras áreas de tu vida. Es muy probable que antes de generar ingresos tengas gastos, lo que significa que vas a invertir. Una inversión sabia se hace con dinero que ya tienes o que estás generando. Si ese fuera el caso, sencillamente, incluye ese nuevo gasto en tu presupuesto para que no termine en una tarjeta de crédito y cuando se te pase la emoción no hayas cavado un hoyo del que te vayas a arrepentir. Quedarte endeudado si el negocio no funciona o se te pasa la emoción, es como caerte y, ya en el piso, que te pateen los dientes.

Por favor, no vayas a caer en la trampa de pedir prestado sobre tu casa para vivir del negocio y dedicarte a eso por tiempo completo. Empezar un negocio con deuda no es una buena idea. Empezar un negocio es una de las inversiones más riesgosas; las estadísticas muestran que son pocos los negocios que sobreviven. A mí me encanta que la gente empiece su propio negocio, pero para tener mayor probabilidad de éxito, debes hacerlo con un buen respaldo financiero. Eso significa estar sin deudas, tener un fondo de emergencias de 3 a 6 meses de gastos y un presupuesto bien establecido. El multinivel es un negocio que se puede hacer a tiempo parcial y con poca inversión, así que no necesariamente tienes que estar sin deudas para empezar; sin embargo, tienes que asegurarte de no endeudarte para comenzar ni para sostener el negocio. Agregar riesgo (deuda) al techo de tu familia para operar un negocio que no ha demostrado generar lo necesario para vivir, es un riesgo muy alto. Para decirlo sin pelos en la lengua: es una gran tontera.

"Tómate unas vacaciones, te las mereces"

Un hijo le pregunta a su papá: "¿A dónde vamos a ir de vacaciones?". El papá le responde: "A Viena". "¿En serio, a Europa?". El papá responde: "No, vienadentro de un rancho porque no hay pa' más".

Qué rico suena eso de "merecerte unas vacaciones", ¿verdad que sí? Realmente lo creo y te lo recomiendo. Ahora bien, no lo hagas como lo hace la mayoría que, se llevan a la familia, el gato y al perico, todos invitados por Supertarjetazo. Dicho de otra manera, cargan todos los gastos a una tarjeta de crédito. No hace mucho aquí, en Estados Unidos, muchos lo hacían pidiendo una línea de crédito sobre su casa. ¡Qué tontería! A quién, con dos dedos de frente, se le ocurre poner en riesgo el techo de su familia por algo que no solo se considera un lujo, sino que, además, la diversión solo dura unos días y el pago, toda la vida. Aunque digamos que es necesario tomarte un *"respiro"* y un descanso mental, salir de vacaciones sigue siendo algo que va por debajo de los gastos básicos. Este es un gasto que es fácil de justificar porque es para tus hijos. "Ellos están chiquitos y deben conocer a Mickey Mouse ahorita porque, cuando crezcan, sabrán que es un disfraz y se acaba la fantasía". La manera correcta para pagar las vacaciones es agregar a tu presupuesto la categoría *vacaciones*. Decidan cuánto necesitan y encuentren ese dinero recortando un poquito de aquí y otro de allá para que el presupuesto vuelva a cuadrar en cero. Si en este momento solo tienen $100 dólares, significa que en 12 meses tendrán $1,200 para irse de vacaciones. Otra recomendación es hacer un sobre que diga vacaciones y dejar que los niños pinten o dibujen en el sobre. Empiecen a depositar lo que hayan decidido y cuando junten el dinero, se van; como dice el dicho, "hasta donde alcance la cobija". Si ese dinero —entre hotel comidas, transporte y diversión— los lleva por cuatro días a la playa, hagan su plan para no gastar de más. Si deciden que el próximo año quisieran tomarse unas vacaciones más extendidas, aumenten de $100 a $200, pero, repito, tienen que buscar ese dinero en su presupuesto y cuadrar a cero. Yo usé $100 y $200 en este ejemplo, pero si el presupuesto da para ponerle $500, háganlo mientras su presupuesto sea realista y no están cortando categorías importantes para que cuadre. Te quise dar el ejemplo con $100 porque muchos no han juntando ni $1,200 para salir a descansar. Mi objetivo es que este gasto de vacaciones sea algo realista para muchas más familias.

Para que quede bien claro, si no tienes ni $1,000 dólares, por favor, si estás pensando en viajar, date un regaderazo de agua fría para que vuelvas a la realidad. Si estás en plena batalla, puño a puño con las garras de las deudas, primero vamos a terminar con eso y a tener protección juntando nuestro fondo de emergencias y, luego, a empezar a juntar para las vacaciones. Las mejores vacaciones son aquellas que, al regresar a tu casa, no te siguen por los próximos 2 años al 24% de interés. Ahhhh… pero de las vacaciones que están pagadas antes de salir, solo las fotos y los bellos recuerdos irán contigo siempre.

La gasolina

Recuerdo haber ido a la gasolinera un día de esas épocas difíciles, no pude llenar el tanque. Una vez, en particular, recuerdo meter mi tarjeta del banco, pedir $30 de gasolina y no pasó. ¡Qué pena! Lo volví a intentar con $20 y tampoco pasó... más pena. Vi a todos lados para ver si alguien me estaba mirando. En esos momentos uno dice, "creo que el banco tiene problemas". *Alóoo*, el banco no tiene problemas; tú no tienes dinero en la cuenta. Creo que después lo volví a intentar, con mucha pena, y pude cargar $12 dólares. Qué pena que esto nos suceda y he aprendido que lo podemos evitar cuando vivimos con un presupuesto donde hemos decidido apartar dinero suficiente para la gasolina. Para mí fue una vergüenza, aunque nadie se haya enterado, pues yo era un asesor financiero. Me dio pena conmigo mismo el no tener ni para la gasolina, especialmente porque iba camino a una cita con un cliente para enseñarle a manejar su dinero. ¿Qué te puede enseñar un asesor financiero que no tiene para llenar su tanque de gasolina? La verdad es que sabía sobre productos financieros, pero no sobre finanzas personales.

Al principio de este capítulo dije que no llenar el tanque de gasolina es una señal que te recuerda constantemente que estás en la ruina. Si tienes un carro, necesitas tener dinero para la gasolina. Ir a la gasolinera y echar $5, significa que estás fuera de control. No estoy hablando de no tener un sueldo y no tener para la gasolina, estoy hablando de que tienes un ingreso, pero pierdes tu tiempo yendo a la gasolinera cada día, porque tienes miedo de quedarte sin dinero si llenas el tanque.

Nos tocó vivir en esa época cuando la gasolina subió de $1.50 hasta $4.00 el galón. Llenar un tanque de gasolina de un carro mediano subió de $27 a $72 dólares. Si tenías dos carros y les llenabas el tanque una vez por semana, tu gasto subió de $216 a $576 dólares. Eso causó muchos estragos con los gastos mensuales porque uno seguía echando gasolina sin estar consciente de que su gasto mensual había aumentado $360 más por mes. Nadie puede absorber ese incremento sin afectar su presupuesto. Para las personas que no llevan un presupuesto por escrito, no dudo que más gastos acabaron en la tarjeta de crédito, como la comida o tal vez unas cuantas facturas por servicios. Lo hermoso de vivir con un presupuesto igual a cero, por escrito, es que solo ajustas tu presupuesto. Incrementas la categoría de gasolina a la cantidad que están consumiendo y reduces otras categorías para que el presupuesto vuelva a igualar a cero. Te aseguro que eso causa una pequeña fracción del estrés que causa usar la tarjeta para algo que no debes, o la culpabilidad que sientes al estar en la gasolinera y ver $72 dólares; los que más sufrían eran los que tenían vehículos grandes, ellos pagaban hasta $100. Esto aplica no solo para la gasolina, sino para cualquier gasto que aumente o quieras incrementar. No lo haces sin pensar, como si el dinero estuviera allí; convocas a tu cónyuge a una junta presupuestal y se sientan a decidir el cambio que quieren hacer.

Disciplina

¿Has visto a las personas que no se cepillan los dientes todos los días? ¿Has visto a las personas que sonríen y pueden iluminar un cuarto? ¿Cuál de estas personas quieres ser? Nadie se cepilla los dientes solo porque sí. Te los cepillas porque quieres tener una de esas sonrisas agradables y evitar verte como los que no lo hacen. Una escritura dice: *Ciertamente, ninguna disciplina, en el momento de recibirla, parece agradable, sino más bien penosa; sin embargo, después produce una cosecha de justicia y paz para quienes han sido entrenados por ella Hebreos 12:11 (NBD).* A ninguno nos gusta la palabra disciplina, pero a todos nos gusta y nos interesa lo que la disciplina produce.

> Provisión no significa solo generar ingresos, también significa administrar ese dinero sabiamente para que no falte lo básico.

Fúchila, guácala... yo escucho disciplina y suena como dolor, sacrificio, esfuerzo... creo que me suena más a tortura y no creo tener la capacidad para soportarlo. Todavía peor, cuando alguien más te dice, "te tienes que disciplinar", siento que me están amenazando. Me imagino a un dictador dándome órdenes. Si tú eres de las personas que dicen, "yo no tengo disciplina", bienvenido al club. A todos se nos dificulta disciplinarnos, pero lo hacemos hasta que la meta se vuelve más importante que el sacrificio. ¿Realmente crees que a un boxeador le gusta hacer todo ese ejercicio y preparación para el combate? Por supuesto que no. Te acuerdas de la película *Rocky* cuando se levantaba antes del amanecer, pone dos huevos crudos en un vaso y sale a correr. Tú te puedes dar cuenta de que prefería quedarse en la cama, pero después se le viene a la mente y corazón la pelea y puedes ver cómo cambia su rostro. Si estás pensando, "me encantaban las películas de Rocky, pero yo soy la persona menos disciplinada del planeta", no te preocupes, a todos nos falta la disciplina hasta que dices, "estoy harto de vivir de esta manera y, a como dé lugar, mi familia y yo viviremos en paz financiera". Aquí es cuando la gente, sin darse cuenta, empieza a dar estos pasos y a hacer su presupuesto. Lo chistoso es que otros empiezan a ver los cambios en ustedes y alguien más te dirá, "no creo que podamos, ustedes tienen disciplina, pero nosotros no". ¡Uuuy! Qué bonita conversación cuando le digas: "No señores, nosotros también éramos indisciplinados, pero ya estábamos hartos de vivir de cheque a cheque".

No hay beneficio sin sacrificio. Todos quieren un aumento de sueldo, pero no quieren un mayor compromiso. Los jóvenes quieren mejores calificaciones, pero sin estudiar más. Todos quieren un mejor matrimonio, pero no hacen lo que se necesita, solo esperan que su pareja los trate como ellos creen que deben ser tratados. No hacen ningún esfuerzo, pero quieren la recompensa. Todos quieren verse como Thor, el de las películas, pero nunca te echas al piso a hacer unas lagartijas y "abominables", —es decir— abdominales. Queremos el sacrificio sin el beneficio. Hablando de Thor, una chica le platica a su amiga. "Oye ¿qué crees?, tengo un novio como Thor". "¿En serio, es rubio y guapo?". "No". "Oh! ¿Entonces tiene un cuerpo increíble?". "No". "¡Ah! ¿Entonces es como un dios?". "No, tampoco". "¿Entonces?". "Él tiene un martillo como Thor... Es carpintero". Deja de huir de la disciplina. Aunque no te guste la palabra *disciplina* abraza este concepto de que no hay beneficio sin sacrificio. Pon el enfoque en la meta y verás que para cuando abras los ojos ya estarás dando pasos hacia la paz financiera.

Los hombres y el presupuesto

Como mencioné antes, Dios creó al hombre para ser un proveedor, así que el hombre se siente más hombre cuando está proveyendo para su familia. Pero si nos detenemos para profundizar en ese término "provisión", podríamos decir ingresos; pero esos ingresos sirven para pagar por lo básico en un hogar: el techo, los servicios, la comida, transporte, ropa etc. El hombre puede trabajar fuerte y aun así vivir en escasez. Por mi trabajo, con frecuencia me toca escuchar de familias que perdieron su casa sin haber perdido el empleo y a muchos otros que les han cortado la luz o que no tienen comida en el refrigerador; es muy probable que tú también conozcas casos como esos. Así que provisión no significa solo generar ingresos, también significa administrar ese dinero sabiamente para que no falte lo básico. No solo es cuestión de trabajar, llegar a la casa, echarse en el sofá y creer que ya hiciste tu parte. Eso es la mitad de lo que significa provisión, así que a un hombre que solo genera ingresos, pero no los administra adecuadamente, el título de "hombre" le queda a grande.

Ya hablamos de que siempre hay un bohemio y un sabelotodo en el hogar y, muchas veces, el hombre es el bohemio; sin embargo, eso no le quita la responsabilidad sobre la provisión para su hogar. Aunque después de comprender eso y estar de acuerdo que su esposa, la sabelotodo, se haga cargo de pagar las cuentas, deben tener presente que las decisiones las toman los dos, pero el hombre, como el proveedor de la casa, debe liderar y hacer que esto suceda. Eso también aplica para las madres solteras ya que ellas asumen el rol de proveedor en sus hogares. Cuando el hombre lidera sobre la provisión de su familia, la mujer se siente protegida. Como en una orquesta, cuando cada quien toca el instrumento que le pertenece logramos crear y disfrutar la armonía en nuestro hogar. Como dije, el hombre se siente más hombre cuando provee para su familia y la provisión incluye llevar un presupuesto.

"En lo poco has sido fiel, en lo mucho te pondré"

"Señor, no falto a la iglesia, sirvo, trato de guardar tus mandamientos, ¿por qué no te siento en mis finanzas?" Muchos se preguntan, "¿por qué no llega la bendición de Dios a mis finanzas?". Hay una historia en la Biblia que deja muy claro lo importante que es saber administrarse. Un señor dejó a tres personas encargadas de sus bienes. Al regresar se dio cuenta que una persona no hizo nada, es más, enterró el dinero. Otro lo administró muy bien y el tercero, a quien le dejó más, no solo lo administró, sino lo puso a trabajar y hasta duplicó el dinero. Al darse cuenta el dueño de lo que sucedió al que no hizo nada le dijo "mal siervo" y le quitó el dinero. ¿Qué creen que hizo? Se le dio al que mejor lo administró y a ese hasta lo puso a cargo de mucho más. Más que una historia, la conocemos como una de las parábolas de Jesús, conocida como la parábola de los talentos o la parábola de las monedas de oro. Lee esta parábola en Mateo 25:14-30 y también en Lucas 19:11-27. Esa es una parábola que Jesús comparte para enseñarnos que Dios espera que seamos buenos administradores y, si lo haces bien, te dará más para administrar.

¿Has escuchado el dicho: *"El rico, cada vez más rico"*? Creo que viene de esta parábola. Si te administras bien, tendrás más para administrar; pero si no, se te quitará lo poco que tienes (y el pobre cada vez, más pobre). Cuando ves que a alguien exitoso que le sigue yendo mejor y mejor es porque al que bien se administra se le da más. Para volver a esa pregunta, ¿Por qué no me llega la bendición de Dios a mis finanzas? Yo diría que ni te va a llegar mientras no te administres bien. Si tú quieres el favor de Dios sobre tus finanzas, es tiempo de administrarse mucho mejor y, con seguridad, verás esa promesa de Dios cumplirse en tu vida.

Conclusión

Todos saben gastar, pero pocos saben gastar con orden. Si tú quieres tomar las riendas de tu dinero, nada te da más control que vivir con un presupuesto acompañado por el sistema de sobres. No permitas que pasen otras 24 horas sin tener hecho esto. Es más, ahora mismo, después de terminar de leer este capítulo, es el mejor tiempo para hacerlo. Al final del libro encontrarás un formulario de presupuesto. Recuerda, gástate todo lo que entra a tu casa, por escrito, en ese formulario; y amanecerás con ese descanso de saber que, en los próximos 30 días, no habrá drama para hacer tus pagos. ¿Te imaginas que este mes será como ningún otro? Como dicen en mi pueblo, "pa' luego es tarde". Este es uno de los pilares principales para vivir en paz financiera y prosperar. Ya sabes qué hacer y es hora de hacerlo. Sin un presupuesto no hay paz financiera.

6

Salir de deudas

El malvado pide prestado y no paga, pero el hombre bueno es compasivo y generoso. Salmos 37:212 (DHH)

La esclavitud de las deudas

Se dice que la esclavitud ya no existe, pero eso es mentira. Una definición sencilla de esclavitud sería: *persona que hace un trabajo, de manera forzada, sin recibir pago.* Todos hemos visto en la televisión, en alguna película o programa, cómo es la vida de un esclavo. No solo lo obvio: que trabaja para alguien más, pero puedes ver en sus rostros la falta de esperanza, como preguntándose "¿de qué se trata esta vida? ¿Solo trabajar y trabajar? ¿Solo trabajar para hacer pagos? ¿Qué diferencia hay si cuando trabajas, gran parte del dinero que recibes el día de pago, va a parar a las manos de tu "amo"? Hoy en día, cuando llega el depósito directo, parece que hubiera una aspiradora conectada a tu cuenta que succiona todo tu dinero. Ese es el *amo* que quiere tu dinero. Cuando te aprueban la primera tarjeta de crédito, te sientes como campeón, sientes que ya perteneces al sistema financiero, que has entrado a la edad adulta. Después viene la segunda y la tercera, y te sientes más exitoso. Las deudas empiezan a crecer hasta el punto donde pareces un dragón por la cola de deudas que vienes arrastrando. Aquí es cuando se esfuma ese sentimiento de éxito, pues empiezas a mandar solo los pagos mínimos o empiezas con el jueguito de *sácale a una para pagar la otra.* A propósito, el *amo* puede ser el banco que emitió la tarjeta, préstamos personales, línea de crédito, crédito para los muebles, carros o ropa. También puede ser una casa de préstamo o un tiburón de la mafia (también conocido como usurero o agiotista) que presta dinero, o algún familiar que deja de ser familiar cuando no le pagas. Por muy tu familiar que sea, cuando no le pagas te das cuenta que ya no es tan familiar y se convierte en un ogro gruñón porque quiere el dinero que le debes. Es entonces cuando tu rostro deja de reflejar éxito y empiezas a tener cara de esclavo: sin esperanza. Tal vez, al principio, un esclavo diga: "No está mal, trabajamos y tenemos un lugar donde dormir y comida". Pero con el tiempo, llegas a comprender que no importa qué tanto te esfuerces para mejorar, tu situación no cambiará. Es lo mismo con las deudas, pierdes la esperanza de que, algún día, podrás sentirte libre y para no decepcionarte de ti mismo, dices: "No andamos mal porque nunca nos hemos retrasado con los pagos y tenemos buen crédito".

La esclavitud moderna

En la Biblia vemos que el pueblo de Dios era esclavo del pueblo egipcio. Cuando leemos o vemos una película sobre esto, podemos ver que los egipcios trataban al pueblo de Dios con mano dura. Si no trabajaban duro, les daban en la espalda con un látigo y les daban hasta que se pusieran de pie y continuaran trabajando. Hay otra historia, la de una mujer que queda viuda y el esposo le dejó deudas; y el amo llegó a llevarse a sus dos hijos como esclavos a manera de pago por la deuda (2 Reyes 4:1-7). Hasta hace poco, por deber y no pagar, te metían a la cárcel. En algunos países, todavía hay jueces que ponen una orden de arresto si el deudor ignora las peticiones de pago del acreedor. La Biblia dice en proverbios 22:7: *El rico domina al pobre y* el deudor es esclavo del acreedor. Cuando lo leí, pude ponerle nombre a lo que sentía cuando hacía esos pagos y muy apenas llegaba a fin de mes. Yo era un esclavo de mis acreedores. ¿Te has sentido como esclavo? Haciendo pagos mes tras mes, tras mes, viendo cómo el fruto de tu esfuerzo se le entrega a un amo ¿Te están pesando las cadenas de las deudas? ¿Sabes? Los esclavos no tienen alternativa, tienen que hacer lo que se les ordena. Los esclavos tienen que seguir trabajando donde no les gusta porque tienen una deuda que pagar. Además, hacer un cambio implicaría demasiado riesgo. ¿Qué tal si no gano nada en 30 días, se me puede derrumbar el castillo de naipes (el crédito que me costado tanto sudor y dinero mantenerlo)? Los esclavos no son generosos, pues es difícil ser generoso cuando no tienes de dónde dar o, mejor dicho, tu dinero ya no es tuyo, sino que le pertenece a tu amo y él quiere su dinero. Pierdes la esperanza cuando tu dinero entra y hay que dárselo al amo y empiezas a decir las frases de los esclavos: "Así es la vida, acostúmbrate, siempre vas a deber, si un amo es muy malo puedes cambiar de amo". Si te has sentido como esclavo, te tengo buenas noticias: puedes ser libre.

> **El que debe es esclavo del que presta.**

Hoy en día los amos no te pegan en la espalda ni vienen por tus hijos, literalmente hablando. ¿Te imaginas si así fuera? No habría tanta deuda. En la esclavitud moderna no te esclavizan físicamente, sino mentalmente. Imagina tu cerebro con cadenas. En el momento que piensas si tienes para enviar el pago, es cuando sientes el peso de esas cadenas. Lo malo es que hasta que no hagas un plan para salir de las deudas, esas cadenas se irán sintiendo más y más pesadas.

En las películas, vemos que los amos eran los ricos pues ellos eran los dueños de castillos y pirámides. Hoy en día, todo sigue igual, los amos siguen teniendo los castillos más grandes, ¿los has visto? Solo tienes que manejar por las calles y carreteras de cualquier ciudad para darte cuenta que los que prestan dinero son los amos. Busca los castillos —perdón— los edificios más altos y es muy probable que sea bancos. Allí, en la puerta, ves entrar a nuestro pueblo, cabizbajo, a paso pesado, para hacer sus pagos como diciendo: "Amo, aquí le traigo su dinero". Aunque ahora la tecnología permite mandar tus pagos digitalmente, sigue siendo lo mismo. "Amo, aquí le traigo su dinero". La sensación de mandar pagos y no ver que la deuda disminuya es deprimente. Trabajar y enviar dinero a los amos, mes tras mes, cansa y terminas perdiendo la esperanza de que las cosas pueden ser diferentes. Perder la esperanza y entrar en ansiedad cuando debes hacer tus pagos mensuales es como encadenar tu mente; y eso también es esclavitud.

Entendamos mejor la deuda y los bancos

A pesar de que todos hablan de la deuda como el problema, la deuda es solo el síntoma de una administración fuera de control. La deuda no es el problema, sino la consecuencia de un corazón inconforme. La deuda es la consecuencia de permitir que ese niño interior, llamado inmadurez, tome decisiones por nosotros. La deuda es la consecuencia de vivir sin orden.

Deuda es el producto que venden los bancos. La tendencia es ver al banco como una institución donde uno guarda su dinero y ellos nos ayudan dándonos préstamos. Yo quiero que despiertes y sepas que un banco es como cualquier otro negocio, ellos tienen un producto que vender y ese producto o servicio es prestar dinero. El banco se dedica a tomar nuestro dinero en depósito, por el que te pagan un interés de limosna y, después, prestarnos nuestro mismo dinero a un interés altísimo. Cuando yo entendí esto, mi reacción fue: "Mira qué lindo negocito tienen estos aquí, para ellos". Eso es exactamente lo que hace un banco; te abren una cuenta de cheques, de ahorros o certificados de depresión —quise decir— de depósito (cuentas a plazo) donde te pagan una miseria, y se lo prestan a los tontos que no tienen orden en su vida al 18% de interés en forma de tarjeta de crédito. Yo no tengo nada en contra de los bancos; ellos, como cualquier otro negocio, ofrecen un producto. Yo solo estoy admirado con lo buenos que han sido para convencernos de utilizar sus productos. Imagínate un negocio donde, todos los días, entren personas y se arrodillen rogándote: "Por favor, deme el préstamo. Yo quiero un carro nuevo con asientos de piel". Ellos invierten en promoción, aunque no es necesario porque la codicia por las cosas que tiene el pueblo, solo se sacia con un préstamo. Es más, una tarjeta de crédito es, simplemente, una licencia para aparentar lo que no eres. Es un permiso que le permite a ese niño inmaduro salir a jugar o un instrumento para callarlo cuando está echando otro berrinche.

Lo triste es que personas adultas, con mente sana, lo justifican. "Bueno, mi amor, ahora que tenemos al niño necesitamos un vehículo seguro y confiable", y una pareja de veintitantos termina con una deuda de $37,000 dólares en forma de minivan a la que le sale aire acondicionado por los asientos y tiene dos televisiones. Y después se preguntan por qué no les alcanza para lo que verdaderamente importa, como un fondo universitario. Todavía más triste, esta pareja sigue viviendo en un apartamento de una recámara cuando con lo que gastaron en esa minivan pudieron haber comprado una casa. Cuando llegaban las parejitas así a mi oficina, encadenados y preguntándome: "¿Nos puedes sacar Andrés?". Mi respuesta era casi siempre la misma, la solución para que les alcance el dinero es que vendan la minivan o métanse a vivir en ella.

Pero, ¿se dan cuenta que la deuda es el síntoma y verdadero problema son los caprichitos y justificaciones del corazón?

Caprichos y necesidades

Es muy fácil confundirse entre los caprichos y las necesidades. Te voy a ayudar para que quede bien claro. Si no afecta tu sobrevivencia, es un capricho. En 3er grado de primaria aprendimos que las necesidades son techo, comida y ropa.

El celular, a pesar de que se siente como una necesidad, en realidad es un lujo.

> La deuda no es el problema, sino la consecuencia de un corazón inconforme.

Es increíble cómo es de fácil acostumbrarnos a lo bueno. Hace 15 años, nadie tenía celular y ahora todos lo tenemos cosido a la mano. Imagínate qué incomodo llegar a tu casa y que tu esposa te diga: "¿puedes ir a comprar leche, por favor?". "Me hubieras llamado al celular. Qué flojera, ya estoy en la casa, o por lo menos me hubieras mandado un texto".

Nos acostumbramos muy rápido a los lujos y caprichos. Cuando yo estaba chiquito podía correr por la calle sin zapatos, descalzo. Ahora que mis piecitos se acostumbraron a los zapatos cómodos, andar descalzo me molesta, me calan todas las piedritas.

El aire acondicionado. ¡Increíble!, qué fácil es acostumbrarnos a esto. No queremos ni salir al calor, cuando muchos que están leyendo este libro no crecieron con este lujo. Recuerdo que hace tiempo fuimos de campamento con nuestra iglesia y ¡qué calor! La mayoría se quería regresar porque no había aire acondicionado en las cabañas. La primera noche, ni dormí y eso que me llevé un abanico para mi solito. La sugerencia más común para mejoras sobre el campamento del año próximo que se le dio al liderazgo fue buscar cabañas con aire acondicionado. ¡Imagínate!

Un par de tenis de $150 dólares no es una necesidad solo porque tu hijo los quiere, es un capricho. No es tu obligación comprarle a tu hijo unos tenis *Michael Jordan*, tu obligación es proveerle techo, comida, mantener las luces prendidas y, por supuesto, ropa que incluye un par de tenis, pero no de $150.

Cuando nos confundimos con los caprichos y necesidades es cuando terminamos endeudados porque justificamos la compra. No solo la justificamos, le damos carácter de urgencia y, como no tenemos el dinero, el crédito viene a *rescatarnos*. "Lo voy a poner en la tarjeta, al cabo que la pagamos el próximo mes". Y así es como justificamos muchas *compritas* que son caprichos y terminamos encadenados con deudas. No hay nada de malo en darte unos caprichitos mientras los incluyas en el presupuesto y no te endeudes. Recuerda, si no afecta tu sobrevivencia no es una necesidad, es un capricho.

Cómo presumir lo que no tienes

¿Conoces gente presumida? ¿Eres presumido/a? El mejor invento para el presumido ha sido la tarjeta de crédito. ¿Cómo es el corazón del presumido? El presumido anda buscando que la gente lo acepte por lo que tiene. La presumida compra a crédito ese par de zapatos y esa cartera a fin de escuchar esas palabras que son como miel para su corazón: "*Guau,* qué lindos zapatos y esa cartera está increíble". Por escuchar esas palabras, viven en el filo de la navaja financiera donde ponen en riesgo hasta el techo de su familia. Los hombres son igual de presumidos. El hombre en un dos por tres se arranca a la tienda y compra una gran televisión porque invitó a los compadres a ver el partido de la final; por supuesto, también con el mismo deseo interno de escuchar las palabras mágicas: "qué linda televisión, compadre, así es como se deben ver los partidos". "¿Verdad que sí, compadre?, en esta televisión hay más *pixeles* que gente en el mundo". Y aparte, lanza la justificación: "para eso trabaja uno, para darse gustos".

El hombre es más peligroso que la mujer porque la televisión le permite escuchar esas dulces palabras, pero no lo llenan. Las palabras que realmente quiere escuchar son, "¡Ah!, qué chula camioneta tiene, compadre, así es como deben moverse los hombres". Puede estar atrasado con la renta y la luz, pero ni eso lo frena cuando el deseo por sentirse afirmado como hombre le empieza hervir. Todos tenemos ese sentimiento de buscar la aceptación de los demás. Se llama "ego" y es insaciable, es como un monstruo al que hay que alimentar, aunque sea al crédito. Así es como un hombre termina comprando una camioneta de $40,000 dólares o más, con un pago que se aproxima a los $1,000 mensuales incluyendo el seguro. Es triste, pero sí hay gente que se la pasa viendo por la ventana, esperando que el vecino compre un carro, para comprarse uno mejor. A veces, los hermanos compiten para ver quién le da el mejor regalo a mamá. Hablando de gente presumida, recuerdo la historia de una chica presumida que andaba de vacaciones en la Florida. Allá en la Florida hay muchos pantanos y, de repente, cuando iba caminando, le sale un cocodrilo y que empieza a gritar: "Socorro, socorro, un Lacoste, un Lacoste". Hay gente muy presumida, ¿a poco no?

¿Entonces nunca puedo comprarme algo de marca que realmente quiera? Por supuesto que sí, no hay nada de malo con darse un capricho si tienes dinero presupuestado para eso. Si en tu presupuesto hay $150 para la ropa y te quieres comprar unos "jeans" de $100, adelante, tienes el dinero.

El prestamista de plástico

La tarjeta de crédito es un permiso para aparentar lo que no eres. Hay una frase que repite la gente que le da rienda suelta a la tarjeta: "Pero lo bailado, nadie me lo quita". Lo dicen como si solo con la tarjeta puedes disfrutar. Tal vez presumir no sea tu meta, pero, ¿qué me dices de comprar algo para lo que no tienes dinero? Es más fácil comprarte esos lentes de marca con la tarjeta, que sacar dinero del banco o del cajón y robarles un poquito dinero a los gastos de la casa para hacer esa compra. Es fácil gastar dinero prestado y, por eso, mucha gente que tiene tarjetas de crédito y termina endeudada. "Los voy a poner en la tarjeta y los pago el próximo mes". ¿Quién, en su sano juicio, quiere pagar más de lo que cuestan las cosas? Eso es lo que haces al pagar intereses. ¿Cuándo tiene sentido pagar $125 dólares por algo que vale $100? Nunca. Asumiendo que no tuviste ningún recargo eso es lo que terminarías pagando si arrastras esa deuda por 12 meses. Quiero ser bien claro, es tonto pagar más de lo que cuestan las cosas. Pagar $15,000 por un carro que vale $10,000 es tonto, pero la gente lo hace todos los días al firmar préstamos por un carro que "necesitaban". ¿Quién quiere que lo estén persiguiendo los cobradores? Si alguien te hubiera dicho que ibas a terminar lidiando con cobradores por comprarte ese comedor ¿lo habrías comprado? Es obvio que no, pues pensaste que sí podías pagar; y hoy en día, la cobranza es una industria que genera millones de dólares. Uno de mis sueños es que esa industria deje de existir, pero como la gente no puede decir *no* a la tentación de la deuda, se queda en eso, en un sueño. ¿Quién tenía planeado terminar en bancarrota? Nadie, pero más 100 millones de personas en los Estados Unidos no pagan sus tarjetas completamente a fin de mes y así es como muchos terminan en la quiebra... Toda esa gente viene arrastrando deuda, y no era su plan; por eso, mi recomendación es: Mantente alejado de las deudas.

Acepto que es difícil mantenerte alejado de las deudas. A parte de la inmadurez de querer comprar cuando no tenemos el dinero, todo mundo dice que es importante construir crédito y la manera para construir crédito es conseguir tu primera tarjeta y hacer tus pagos mensuales a tiempo. Ahora ya no son veinte personas repitiendo esto, son millones; aparte, los bancos lo gritan a todo pulmón con millones de dólares en campañas publicitarias que repiten esta mentira hasta que la genta la acepta como verdad. Agrégale que este tipo de mensaje de vivir en paz financiera no llega por ningún lado, y te puedo decir que estás frito. Es muy probable que termines siendo parte de esos 100 millones de personas que vienen arrastrando deuda, esclavizados viviendo de cheque a cheque.

Una de esas mentiras es que necesitas una tarjeta de crédito para rentar/alquilar un carro o para comprar por internet o por teléfono. Espero que sepas que puedes usar una tarjeta de débito. Yo viajo mucho y te aseguro que es una mentira porque yo no tengo una sola tarjeta de crédito y puedo comprar boletos de avión, rentar carros y comprar por internet usando mi tarjeta de débito. Tú tarjeta de débito puede hacer todo lo que hace una tarjeta de crédito, excepto endeudarte al 24%.

"Andrés, con una tarjeta de débito te pueden robar todo el dinero". Y ¿quién te contó eso? ¿El Chapulín? Claro que no. Si alguien saca el dinero, VISA te lo devuelve. VISA garantiza cero riesgos cuando hay fraude. Ahora, si la utilizas con la clave, la tarjeta se convierte como un cajero automático, ATM. Pero si la utilizas de la misma forma en que usarías una tarjeta de crédito, tiene la misma protección. Esto es lo que dice la página de internet de VISA. Búscalo tú mismo. Así es que no creas cuando te dicen que la tarjeta de débito tiene más riesgo. Lo único malo de la tarjeta de débito es la inconveniencia de no poder comprar algo que quieres cuando no tienes el dinero.

"Yo pago mi tarjeta de crédito cada mes, sin multas ni sobrecargos. Aparte, me dan millas y puntos para comprar gorras y batidoras. Andrés, les estoy ganando a estas compañías en su propio juego". Esta es otra de esas mentiras que mantienen a la gente queriendo vivir con tarjetas.

Cuando gastas con efectivo existe un dolor de desprendimiento que no existe cuando usas el plástico. Duele cuando compras con efectivo. Cuando vas a comprar esa televisión de 65 pulgadas y entregas billetes reales, ¡ouch! Duele, ¿a poco no? Pero cuando traes tarjeta llegas y le dices, póngamelo en esta tarjeta. Luego te dicen: "disculpe, señor, no funcionó", "¡Oh!, póngalo en esta otra", "esta tampoco", "pues póngalo en esta". Y ahí estás, hasta que pasa una. Eso solo registra vergüenza, pero no registra como dolor.

Se hizo un estudio de McDonald's sobre por qué decidieron aceptar tarjetas de crédito y descubrieron que antes de aceptar tarjetas de crédito las personas gastaban en promedio $4.75, y cuando comenzaron con tarjetas de crédito, en promedio gastaban $7.00. Esto es un incremento del 47%, ¿y saben por qué? "¿Quiere papitas con eso?". "Claro, deme una mega-coca, un pie de manzana, una malteada y lo que el amigo quiera y me lo pone en esta tarjeta". Pero cuando llegas con efectivo, buscas el menú de $1 dólar ¿A poco no? "Me puede dar la mitad de esa hamburguesa y un vasito de agua porque estoy a dieta, y no tire las papitas que se le cayeron al piso, me las puede poner en una servilleta"; "¿y para su amigo?, él es mi amigo no mi hijo, que se las arregle como pueda". El efectivo duele.

Cuando sales a comer y al final te traen la cuenta, es raro porque se escucha esa musiquita de muertos. Se escucha porque traen esa charolita negra que es como el ataúd para tu billete de $100 dólares. Porque lo acuestas allí y se ve tan tranquilo, pero se lo llevan y nunca lo vas a volver a ver. Adiós.

O cuando vas a la mueblería a comprar una sala y llevas efectivo te sientas en uno de esos sillones y les pides un momento para pensarlo. Realmente no es un momento para pensarlo, es un momento para despedirte de tus billetes que tanto trabajo te costó obtenerlos. Ves a tu dinero y, con una lagrimita, piensas: "Lo siento billetitos, pero necesitamos una sala". ¡Ouch! duele desprenderte del dinero de verdad. Cuando gastas sientes como que los estás dando en adopción. ¿A poco no? ¡Claro que duele!

La revista Carnegie Mellon publicó un artículo sobre un estudio donde conectaron un MRI, (Resonancia Magnética), para ver el impacto neurológico con las compras grandes. Esto es lo que encontraron: "indican que cuando la gente gasta en efectivo lo registra como dolor. Cuando usan una tarjeta de débito, el dolor es menor; y cuando usan una tarjeta de crédito, el dolor es apenas perceptible". Tu cerebro no registra el mismo impacto cuando usas la tarjeta de crédito como cuando pagas en efectivo.

"Pero Andrés, me dan millas"

¿Han tratado de cobrar esas millas? Júpiter y Marte se tienen que alinear perfectamente para que las puedas usar. Y cuando te las dan, vas abajo, con las vacas y gallinas. "Andrés, de veras, sí me las dan". Ah, ¿sí? De acuerdo a *Consumer Report* el 75% de estas millas nunca se cobran. Allí andamos, tratando de gastar miles de dólares para acumular millas que nunca vamos a usar o que solo van a ser suficientes para viajar a una hora de distancia en avión.

Hoy en día, ya ni la tarjeta sacas, solo acercas tu teléfono y pagas. ¿Te has dado cuenta que todavía hay menos dolor al comprar con tu teléfono que al correr la tarjeta? Ellos saben que, entre menos dolor, más gastas. A mí me encanta la tecnología, pero cuidado porque se puede convertir en una forma de derroche pues no existe ese desprendimiento que viene cuando usas dinero de verdad. Así que ¿necesito una tarjeta de crédito para vivir?, por supuesto que **no**.

El ataque de las tarjetas no empieza cuando eres un adulto maduro, responsable, con un buen ingreso; esta gente empieza la cacería desde que eres un adolescente. Antes te empezaban a bombardear en la universidad, pero ahora, hasta en los últimos años de la secundaria vemos personas con sus mesitas queriendo ofrecerte tu primera tarjeta de crédito. Ellos saben que uno se vuelve muy leal a su primera tarjeta y están dispuestos a pagar miles de dólares a las escuelas para poner sus mesitas ahí, con gorras, camisetas de tu luchador favorito y hasta barras de chocolate gigantescas. El amor por la primera tarjeta es como el niño y su sabanita sucia, ni intentes quitársela porque te muerde. ¿Quieres esta camisa? Y si firmas hoy te doy la camisa y el chocolate". Así es como yo caí. Sin tener un ingreso fijo, me dieron mi primera tarjeta de crédito; y así es como muchos muchachos han intercambiado su alma financiera por una miserable camisa de su luchador favorito.

"Andrés, yo no la voy a usar, solo quiero la camisa o el descuento del 10%. Eso no me va a pasar a mí". Por favor, estás jugando con compañías multimillonarias, ellos no cometen errores de promoción. De vez en cuando, podrás ganar unas cuantas batallas, pero la mayoría de las veces, te andan cazando. Esto no es juego para ellos. Y ahora, los andan cazando cada vez más jóvenes; hasta a los niños. Empezamos a ver los logotipos de las tarjetas de crédito en los juegos para niños. Yo sé que no les están ofreciendo tarjetas a niños de 4 años, pero los están entrenando para que, cuando lleguen a la universidad, escojan VISA en vez de Discover o MasterCard. Se vuelve una batalla de marcas como Pepsi y Coca Cola. Es una guerra de marcas. Y van a pelear con garra y van a gastar millones para cazar a ese grupo y entrenar a los niños. Por favor, no metan la pata dándoles una tarjeta de crédito a sus hijos.

> **Muchos terminan en graves problemas de deudas, por construir su puntaje de crédito.**

Tener una tarjeta de crédito no significa que eres una persona responsable. Significa que eres cliente de un producto bancario. Ellos quieren darle tarjetas a todo mundo porque les genera muchísimo dinero. Lo que no quieren es andar cobrándote; por eso, revisan tu historial de crédito. Ellos quieren gente que las use y mantengan un saldo. Para ellos, eso significa que estás pagando intereses y pueden ponerte cargos si te olvida pagar o tu pago llega tarde. Además, se reservan el derecho de ponerte un cargo anual, aunque te hayan dicho que no. El contrato que aceptaste les permite hacer cambios cuando ellos quieran. Muchas veces se nos infla el pecho cuando nos dan una tarjeta porque lo relacionamos con éxito financiero. Una tarjeta de crédito es un préstamo abierto que tiene un límite, comúnmente cobra intereses y tarifas muy altas. Pero, por todo lo que hemos venido conversando, espero que te des cuenta que las tarjetas de crédito no son buenas para tu salud financiera.

El crédito y los burós

Pareciera que el gran trofeo financiero es tener un buen crédito. Este es uno de los mitos más grandes que existe en el mundo del dinero. Tener un alto puntaje crediticio no significa que estés ganando con el dinero. La gente extiende las plumas como pavorreal cuando dicen "yo tengo excelente crédito". Tener un alto puntaje de crédito significa que, hasta ahora, has sido bueno para hacer pagos a tus préstamos. Aquí incluyo lo que determina cómo se calcula tu puntaje de crédito.

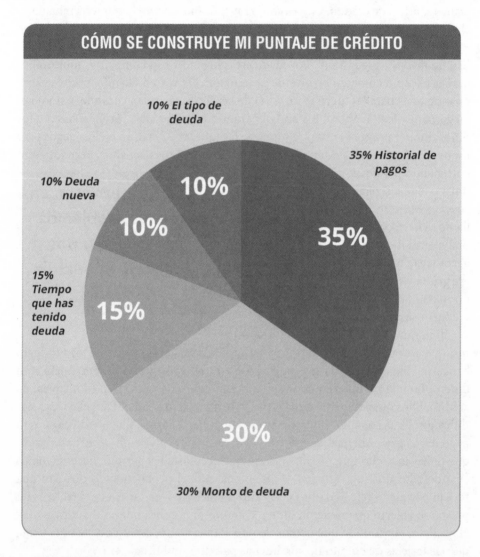

El 35% del puntaje de crédito está determinado por tu historial de pagos, es decir, si has hecho tus pagos a tiempo. El 30% es el monto o la cantidad de deuda que tienes. Si tienes muchas deudas, tu puntaje empieza a bajar y si tienes muy poca, también. ¿Te das cuenta que, para mantener un alto puntaje de crédito, ellos quieren mantenerte siempre endeudado? *Ni tanto que queme al santo, ni tan*

poco que no lo alumbre. El 15% es el tiempo que has tenido deudas. Mientras más tiempo hayas mantenido deuda, mejor. En otras palabras, entre más intereses hayas pagado, mejor. El 10% del puntaje es determinado por el tipo de deuda. Una deuda de vehículo te da más puntos que una tarjeta de crédito en una tienda. El último 10% indica si has aplicado por deuda nueva. Si ven que recientemente has aplicado por más deuda baja un poco tu puntaje.

Ahí tienen la estructura del puntaje de crédito. Tú puedes tener $50,000 dólares en ahorros, pero eso no afecta tu puntaje de crédito a menos que te endeudes con ese dinero. Tu jefe te puede duplicar el sueldo y tu puntaje de crédito no se moverá ni un solo punto. Si te llega la herencia de tu abuelo por $250,000 dólares, tu puntaje no cambia. Como ves "el crédito" no es una medida de solvencia financiera. Hay mucha gente, sin ahorros y caminando en el filo de la navaja financiera, con un alto puntaje de crédito; me imagino que ellos son ese tipo de personas que extienden sus plumas como pavorreal cuando les preguntan por su crédito. Pueden haberle cortado la electricidad, pero mientras no llegue a cobranza, sigue teniendo buen crédito. Tener un alto puntaje de crédito no significa que estás ganando con el dinero, significa qué tan bueno eres para hacer pagos. Para aclarar, hacer pagos no es bueno, hacer pagos de deuda significa que compras cosas cuando no tienes el dinero. Deber en muchas tarjetas significa que estás dando pasos hacia atrás con tus finanzas porque reducen tu valor financiero. Si tienes $5,000 en ahorros, pero debes $20,000 en tarjetas, tu patrimonio es -$15,000. Prefiero no deber y tener un patrimonio de $5,000 que estar en negativo; aparte de que no estoy sufriendo las presiones de los pagos. Piensa en esto. Si tuviste que pedir prestado para comprar algo es porque no tenías el dinero para comprarlo. Eso significa que no te sobra dinero a fin de mes. Y si no te sobra, ¿qué te hace pensar que el próximo mes sí te sobrará para hacer el pago de lo que acabas adquirir? Muchos terminan en graves problemas de deudas, por construir su puntaje de crédito.

Muchos, desde chiquitos, escucharon: "cuida tu puntaje de crédito", como si el crédito te diera de comer. Muchos padres les han dicho a sus hijos: "Pase lo que pase, no te retrases con tus pagos así tendrás un buen crédito", como si el crédito fuera tu proveedor. El crédito no provee comida; el crédito no paga por tu casa; el crédito no llena tu tanque de gasolina. Crédito significa pedir prestado y pagar intereses para que, en un futuro, pidas más prestado y pagues más intereses. El propósito desde este capítulo es darte una perspectiva realista sobre el riesgo del crédito y cómo salir de las deudas. El propósito de este libro es enseñarte a ganar con el dinero; y te puedo decir que, si te mantienes endeudado toda tu vida, será imposible acumular riqueza. No te estoy diciendo que destruyas tu crédito, sino que te mantengas alejado de las deudas porque es una de las razones principales para ganar con el dinero. El puntaje de crédito es más una medida de cuánto amas la deuda que una medida de éxito financiero.

Los burós o agencias de crédito son las instituciones que recaudan toda la información sobre tu relación con las deudas y se la facilitan a los acreedores. Antes, cada banco o acreedor te tenía que preguntar sobre tus ingresos, trabajo, deudas, para determinar si eres confiable para un préstamo. Eso toma tiempo y vivimos en una cultura donde todo debe ser rápido. Los burós de crédito han recortado el tiempo para aprobar a un deudor. Menos tiempo significa menos gastos y menos gastos significa más ganancia. Basicamente, los burós de crédito han convertido el otorgar préstamos en una fábrica moderna de alta velocidad y rendimiento para los prestamistas. Además, son un garrote para darles en la cabeza a los deudores que traen retrasos con sus pagos. El acreedor solo tiene que decir: "Si no paga para el viernes, lo vamos a reportar al buró de crédito". Allí es cuando retumba en tu mente el consejo de tu papá, "pase lo que pase, protege tu crédito". La gente puede tener el refrigerador vacío o la luz cortada, pero está al día con su crédito. Solo al leerlo te das cuenta de que eso está mal. Antes de mandar un pago mínimo a tu tarjeta de crédito, debes tener las necesidades básicas cubiertas en tu casa, especialmente, si estás en crisis.

Es al revés, primero lo básico

Las necesidades básicas son techo –renta o hipoteca— comida, los servicios básicos (luz, agua, gas), ropa y transporte. Más adelante vamos a hablar de la casa, pero aprovecho para recordarte algo: si el costo de tu vivienda es mayor al 25% de tus ingresos netos, va a ser difícil ganar con el dinero. Muchos se ofenden cuando digo que se controle el gasto de la comida en el supermercado. "¿Hasta la comida me quieres controlar, Andrés?". "Con la comida no te metas", "¿Qué, no quieres que coma?" Es fácil gastar de más y estar siempre en la ruina por lo que uno gasta en el súper. Ya sea comida chatarra o camarones y salmón, el dinero sin control se pierde en los pasillos del súper. El gasto de la comida es uno de los más pesados en el presupuesto, aunque compres solo lo necesario. Es necesario tener luz, agua y gas, pero no cuatro celulares, internet de súper lujo, y el combo más completo de televisión por cable. ¿De qué te sirve tener 200 canales si ves los mismos 2 canales que llegan por señal abierta? Si tu meta es salir de la crisis y no puedes mandar los pagos mínimos, necesitas cubrir solo lo más básico. Ya que te estabilices, puedes volver a darte algunos de esos lujos. Incluso la ropa, pero gasta en ropa solo si es necesario. A propósito, "necesario" significa que tu hijo lleva los dedos del pie afuera del zapato. Quiero aclarar esto porque es fácil decir, "Yo *necesito* un par de zapatos cafés para que vayan con mis pantalones caquis". En cuando al transporte, hablamos de la gasolina, el seguro y el pago de tu carro, la meta para este último, es quitártelo de encima. Lógicamente, el transporte público para ir a trabajar está incluido aquí.

Por encima de lo básico, se mandan los pagos a tus acreedores. Es tonto tener el agua cortada, pero estar al día con la tarjeta VISA o cualquier otra. Ahora bien, si tus ingresos solo dan para cubrir las necesidades, entonces que la tarjeta se quede sin pago. Te van a llamar y van hacer más ruido que un puerquito atorado, pero solo diles: "lo siento, mis ingresos este mes solo cubrieron las necesidades básicas. Mi meta es que, el próximo mes, pueda empezar a mandarles su pago de nuevo". Cuando tienes tus necesidades básicas cubiertas puedes respirar e ir al trabajo con tu mente tranquila sabiendo que cuando llegues y sea hora de que tu hijo se tiene que bañar, saldrá agua de la regadera. Obvio que no andas en total paz si no mandaste ni siquiera los pagos mínimos por cubrir tus necesidades básicas, pero estás tranquilo porque hay leche y huevos en el refrigerador y esa tranquilidad te permite hacer un plan para empezar a atacar las deudas.

En el curso de Paz Financiera, hablo de los mitos que la cultura nos quiere vender. En cuanto tengas oportunidad, asegúrate de tomar ese curso.

Quema los barcos

El capitán Hernán Cortés, cuando llegó y desembarcó en Veracruz, le pidió a su gente que quemaran los barcos. La meta era conquistar esta nueva tierra; y mientras su gente supiera que tenían la alternativa de regresar, no pelearían con todas sus fuerzas. Cortés no dio la opción para rendirse y retractarse. O lograban la meta de conquistar esta tierra, o morían en el intento. Mientras exista la opción de regresar, será difícil pelear por algo diferente. En este caso, los barcos que tienes que quemar son las tarjetas de crédito. Sí, te estoy recomendando que rompas las tarjetas de crédito.

En mis presentaciones, saco un machete y coloco las tarjetas en una guillotina y ¡zas, zas, zas! Unos creen que es una presentación animada para dar a entender que vivir del crédito es malo, pero sus caras cambian cuando les digo, "corten, rompan sus tarjetas". Si ya reconociste que es tonto pagar demás por las cosas pagando intereses y que son un peligro porque estás tentado a gastar demás, entonces corta las tarjetas. Entiende que, además, las tarjetas te impiden ahorrar porque tu corazón dice: "Para qué juntar un fondo de emergencias, si tengo la tarjeta". Nada bueno sale de una tarjeta de crédito. Unos dirán: "Me ayuda a construir crédito". Ya hablamos de eso. Construir crédito significa pedir prestado para tener la oportunidad de pedir más prestado en el futuro. La meta es no deber, así que quema los barcos.

Algo sucede a dentro de uno cuando corta sus tarjetas. Aunque es algo simbólico, porque sigues debiendo y la cuenta sigue abierta, pero hay algo que se desata por dentro. Como ven, no estoy recomendando cortar las tarjetas cuando las terminas de pagar, te estoy recomendando romperlas ¡ahora mismo! La mayoría de la gente que tiene tarjetas y está leyendo este libro debe en sus tarjetas. Este es un gran paso y si quieres salir de esta esclavitud da el paso y córtalas con coraje y odio jarocho. No lo hagas a solas, haz esto junto con tu esposa/o y tus hijos. Siéntalos a todos y diles a tus hijos que tú y su mamá han sido tontos con el dinero. Imagínate qué gran regalo el que ellos recuerden el día que las cosas empezaron a cambiar. El día que tú y tu esposa/o (si eres casado) trazaron una línea en la tierra y dijeron de ahora en adelante la familia Gutiérrez no pide prestado. "¿Ni para un carro, Andrés?". Ni para un carro mi estimado/a. La única deuda por la que no alego es una hipoteca, aunque la mejor manera de comprar sería al contado. Excepto la casa, no hay nada por lo que te debas endeudar. Quiero hacerte una pregunta obvia. ¿Cómo prefieres vivir, con deudas o sin deudas? Para mí, que he sentido el yugo de las deudas, es fácil responder a esto. Cuando uno piensa en lo que podrías hacer con el dinero que se te va en el pago de deudas, te llenas de esperanza porque ves todas las posibilidades y sabes que tendrás una vida más tranquila.

Allí mismo, después de conversar con tu familia, córtenlas. Puede ser tan sencillo como sacar unas tijeras y cortarlas o pueden ser creativos y destruirlas con coraje. "Ay, Andrés, pero es que son tan bonitas". Entonces hagan manualidades con ellas, ¡pero destrúyanlas ya! Entiende que son cadenas que los esclavizan a todos, incluyendo a tus hijos. Yo, en lo personal, prefiero las maneras creativas de hacerlo con coraje. Puedes cortarlas con un machete, hacha o motosierra (con las precauciones correspondientes). Las puedes meter en la licuadora, colgarlas de un hilo y dispararles con una escopeta o hasta sacar un soplete y fundirlas en una bolita de plástico. Aquí es cuando se te sale un *ya no más* desde las entrañas. Antes de jalarle al gatillo o dejarles caer el machete diles, "Me han costado mucho dinero, bola de ladronas, pero *ya no más*. Me han quitado el sueño, pero ahora ya ni en pesadillas quiero verlas *ya no más*. Me han causado peleas con mi esposa/o, pero *ya no más*. Les estaba dando un mal ejemplo a mis hijos, pero *ya no más*. Sin darme me cuenta, me estaban robando un futuro de independencia financiera, pero *ya no más*. Me estaban causando estrés y preocupación, pero *ya no más*". Cortar las tarjetas es quemar los barcos. Cuando lo hayas hecho, toma una foto y me la mandas por Facebook.

> ## Las cosas llegan solitas cuando no hay deuda porque hay dinero.

Recuerda que antes de empezar a atacar las deudas, debes tener $1,000 dólares como minifondo de emergencias. **No esperes para cortar las tarjetas.** Mientras juntas esos $1,000, empieza a hacer tu plan para pagarlas. No te esperes hasta llegar a ese paso. Mételes machete hoy mismo.

La bola de nieve

El plan que yo recomiendo para pagarlas se llama "la bola de nieve". Este método se ajusta al hecho de que las finanzas personales son más personales que finanzas. El plan es escribir todas tus deudas en un papel, desde la más pequeña hasta la más grande, sin importar la tasa de interés que tengan. Manda los pagos mínimos a todas, excepto, la cuenta más pequeña; a esa deuda pequeñita la atacas con todo el coraje.

Después de que termines con esa pequeñita, exprimes un poco más el presupuesto y mandas a la segunda deuda lo que pagabas por la pequeñita más el pago mínimo de la segunda, hasta terminar con la segunda. Cuando termines con esa segunda, aprietas un poco más el presupuesto y aquí es cuando la bola de nieve empieza a rodar y a crecer. En este punto, si tu cónyuge no estaba muy involucrado, ahora va a empezar a creer que la salida está cerca. Le vas a decir: "mira ya llevo dos tarjetas pagadas y creo que la próxima la pago en 4 meses" y verás cómo se involucra y le entra con la misma intensidad que tú. Entonces, esa bola de nieve que viene aplastando las deudas también empieza a crecer en tu corazón y en el de tu cónyuge, excepto que en tu corazón no es de nieve, sino de esperanza. Ahora, a seguir con ganas con el mismo sistema hasta que pagues la última deuda.

Cuando salir de deudas pasa de ser un cálculo en un papel a una realidad palpable y realmente crees que vas a salir, se llena tu corazón de esa gasolina poderosa que se llama esperanza. Cuidado, porque aquí es cuando tu marido se da cuenta que entre mayor el sacrificio más rápido saldrán de esta esclavitud y empieza a sugerir ideas para salir más rápido: "Mi amor, ¿qué te parece si comemos un día sí y un día no?". Con mucho entusiasmo dice "cortemos lo que tengamos que cortar" y no dudes que hasta la comida quiera cortar. "Pero viejo, ¿qué vamos a comer?". Para entonces él ya tiene la resortera (hulera) en mano, "Ardillas, pájaros, perros, gatos y todo lo que pase, vuele o se arrastre por la casa". Y salen porque salen, ninguna deuda aguanta con esa intensidad.

"Andrés, ¿no sería más sabio pagar las deudas de interés más alto antes que las de interés más bajo?". Seguro que sí, pero dado el lío en que estás metido por no haber actuado sabiamente desde el principio, mejor sigue leyendo y prepárate para poner en práctica lo que estoy diciendo. Pon atención. Entiendo lo que dices porque yo también tengo una cabeza que hace matemáticas automáticamente, pero la estrategia de la bola de nieve se adapta más al comportamiento humano que a las matemáticas. Esta es la única recomendación que no se basa en lógica y sentido común. La idea de ir de la más pequeña a la más grande, es que sientes el progreso y celebras cada vez que terminas de pagar una deuda. Es como hacer el sacrificio de ponerte a dieta, si no ves que la báscula se mueva al menos una libra, pierdes el ánimo. Para seguir esforzándote tienes que ver el progreso y por eso recomiendo ir de la más pequeña a la más grande. Para cuando llegas a las deudas grandes, que se hubieran llevado más tiempo, ya traes la resistencia para mantenerte enfocado y ya tienes disponible las sumas de las pequeñas cantidades que has estado presupuestando para pagar, lo que te da más fuerza de ataque. Muchos de los matemáticos han llegado a la conclusión que es tonto pagar intereses y que las personas que deciden salir de las deudas no lo logran porque se desaniman después de esforzarse y no ver mucho progreso. Aparte, cuando uno paga las deudas rápido no hay mucha diferencia en lo que se pagaría en intereses en comparación con irte de la más pequeña a la más grande. La deuda más grande puede crecer un poco hasta que logras exterminarla con un zapatazo como a cualquier cucaracha. Sin embargo, nunca va a llegar a ser tan grande como si te quedaras pagando solo los mínimos esperando a ver quién llega a viejo primero.

Hablando de pagar rápido las deudas, el ingrediente más importante para lograr salir rápido de las deudas es la intensidad. En el libro de Proverbios dice:

> *Hijo mío, si has salido fiador de tu vecino, si has hecho tratos para responder por otro, si verbalmente te has comprometido, enredándote con tus propias palabras, entonces has caído en manos de tu prójimo. Si quieres librarte, hijo mío, éste es el camino: Ve corriendo y humíllate ante él; procura deshacer tu compromiso. No permitas que se duerman tus ojos; no dejes que tus párpados se cierren. Líbrate, como se libra del cazador la gacela, como se libra de la trampa el ave. Proverbios 6:1-5 (NVI)*

Yo no sé ustedes, pero si Dios te dice, si has hecho esto... haz lo siguiente, yo pongo atención. La palabra fiador es una palabra antigua para decir deudor. Dice si te has comprometido, que hagas lo siguiente, no permitas que duerman tus ojos, no dejes que tus párpados se cierren y librarte como una gacela se libra del cazador. ¿Alguna vez han visto las gacelas en la televisión? Nunca están solas, siempre hay algún cazador, ¿a poco no? Siempre que hay gacelas debe andar alguna chita por allí. Cuando esa chita arranca, una de las gacelas grita para avisarles a todos: "CHIIIIITAAAAA COOORRRAAAAAN" y arrancan a toda velocidad. Todos hemos escuchado que la chita es el animal más rápido sobre la faz de la tierra. Así que las gacelas corren con todas sus fuerzas porque su vida depende de ello. Ellas saben que, si no corren con toda su intensidad, al rato la chita cenará tamales de gacela.

Así que, ¿Cómo sales de tus deudas? Con la misma intensidad en que una gacela se libra del cazador. ¿Qué significa en la vida práctica? Que tratas de salir lo más rápido posible. Haz el mayor esfuerzo y sacrificio posible. ¿Por qué quieres tardarte cinco años para salir de las deudas si lo podrías hacer en dos? ¿Por qué tomarte dos años, si lo puedes hacer en 10 meses? "Andrés, ¿cómo puede una persona salir de una deuda de $10,000 dólares en 10 meses?". Mandando $1,000 por mes. Tal vez de tu presupuesto de $2,500 mensuales le cortas $500 y el resto

LA BOLA DE NIEVE (muestra)

¡Ya es hora de sacudirse de las deudas! Haga una lista de sus deudas de menor (monto) a mayor sin importar los intereses. Si dos o más deudas tienen el mismo saldo entonces ponga primero la deuda con el interés más alto. La idea de la bola de nieve es sencilla. Mande pagos mínimos a todas sus deudas excepto la más pequeña. Mande todo lo que pueda a la más pequeña hasta eliminarla. Después sume el pago mínimo de la que sigue a lo que estaba pagando. Puede ver que cada vez que pague una deuda el "Pago Nuevo" se vuelve más grande para atacar la siguiente deuda; en otras palabras, la bola de nieve da vuelta y se hace más grande. El pagar los saldos pequeños da un sentido rápido de culminación, por lo tanto, tendrá mayor probabilidad de continuar con el plan. Cada que pague una deuda, exprima más el presupuesto y genere dinero adicional para hacer crecer más la bola de nieve. Cada que pague una deuda gritele "fuera de mi vida" mientras traza una línea con un marcador rojo. Si llega un aumento de sueldo, pongalo contra la deuda.

Deuda	Dedua Total	Pago Minimo	Pago Nuevo	Fecha de Salida
~~JC Penney~~	~~300~~	~~30~~	~~300~~	~~Mayo2017 (1mes)~~

Aprieta el presupuesto y corta el cable y la pizza ($200 mas)

Deuda	Dedua Total	Pago Minimo	Pago Nuevo	Fecha de Salida
~~Best Buy~~	~~1000~~	~~50~~	~~$300+50+200 = 550~~	~~Julio2017 (2meses)~~

Aprieta mas y corta los restaurantes por completo ($75 por semana = $300 mas)

Deuda	Dedua Total	Pago Minimo	Pago Nuevo	Fecha de Salida
Home depot	2500	80	550+80+300=930	Octubre2017 (3meses)

Da clases de guitarra, entrega pizzas o maneje para Uber ($1,000 mas por mes)

Deuda	Dedua Total	Pago Minimo	Pago Nuevo	Fecha de Salida
VISA	4000	120	$930+120+1000 = 2050	Dec2017 (2meses)
Carro	12,000	350	2050+350 = 2400	Mayo2018 (5meses)

Fecha de libertad financiera

¡Mayo 2018 !

Vuelve a calcular todo para terminar en 10 meses y preguntese que se tomaría para hacer esto una realidad. Cuando sean libres, tomense una foto, enviamela por las redes sociales y marquenme al show para celebrar junto con ustedes.

se lo ganan trabajando unas cuantas horas más. Cuando la salida está a 10 meses puedes ver la luz y cuando ves la luz, te llenas de esperanza porque sabes que el esfuerzo no será por mucho más tiempo. Tendrás que cortar vacaciones, el cable, reducir el internet a uno más lento o eliminarlo por completo, restaurantes, etc., pero solo es por un periodo corto. Entre más grande el sacrificio, más rápido. No cortes de cabello, no Purina para el perro y solo cuatro cuadritos de papel sanitario en el baño. Estamos dispuestos a poner los dedos en riesgo, pero esta familia va a salir de las deudas. Mantienes ese enfoque hasta salir y, con el tiempo, serán *libres de deudas*. ¡Libertad! En mi show de radio, la gente me llama para celebrar que terminaron de pagar y gritan *"yaaa nooo máaaaaassss"* y celebramos en grande.

¿Te imaginas vivir sin deudas, sin pagos mensuales que ahorquen tus ingresos? ¿Cómo sería tu vida sin deudas? ¿Qué harías con todo ese dinero que estabas mandando a las deudas? ¿Cuánto podrías disfrutar? ¿Cuánto podrías ahorrar, invertir? ¿Cuánto podrías dar? Después de una conferencia, una señora se me acercó y me dijo que habían terminado de pagar todas sus deudas y me dijo: "Andrés, el aire se respira más fresco, el sol brilla más bonito y hasta mi marido se ve más guapo".

Los bancos te seguirán mandando cartitas ofreciéndote tarjetas, pero la próxima vez que recibas una de esas ofertas preaprobadas solo gritas ¡*chiiiitaaaa*! y corres a la trituradora de papel y la encierras allí. Nosotros, como familia, trazamos una línea en la tierra y dijimos: *"ya no más"*. Nunca más volveremos a sentirnos como esclavos. Nunca más volveremos a recibir llamadas de cobradores, nunca más volveremos a hacer pagos mensuales por deudas; y desde que salimos, no hemos vuelto a pedir prestado.

Un bombero en intensidad de gacela

Un bombero que llegó a mi oficina reconoció que sus problemas no venían por su sueldo ni por la economía. El reconoció que, si salía de deudas, todo sería muy diferente. Él debía casi $50,000 dólares, y cuando entendió este concepto de la intensidad de gacela dijo que iba a terminar con sus deudas en un año. No creí que lo fuera a lograr ya que su sueldo era $4,500 mensuales. Él dijo "voy a vivir con $1,000 a $1,500 mensuales para mandar $3,000 a las deudas y el resto", dijo, "voy a vender todo". Trabajó todas las horas extra que le dieran en su trabajo. Hizo una venta de garaje y dijo "todo está en venta". Sacó al frente de su casa todo lo que pudo y dejó las puertas abiertas, y les decía a todos: "Adelante, pasen, todo está en venta". Vendió su moto y todos los *juguetes* que había acumulado. Vendió su televisor, su sala y no vendió el microondas porque estaba atornillado al gabinete. Dijo que tampoco vendió la alfombra porque estaba pegada al piso. Él reconoció que todo eso lo podría reemplazar, nuevecito, en un par de meses con lo que estaba mandando en pagos a la deuda. Se dio cuenta que solo son cosas y las cosas vuelven a llegar solitas cuando hay dinero. Él logró su meta y salió de casi $50,000 de deuda en 12 meses.

"Andrés, si yo ganara lo que él gana también podría salir de mis deudas". No entendiste. Él no salió de las deudas por lo que gana, el salió de las deudas por el enfoque y la intensidad de gacela con lo que lo hizo. He visto ingenieros que usan corbata todos los días en su trabajo y, por la noche, entregan pizzas para generar ese ingreso adicional y atacar con intensidad sus deudas. He visto familias cambiar su forma de vida, temporalmente, para salir lo antes posible. Una familia hasta aprendió a hacer su propio jabón y detergente. Tal vez esto te suene exagerado y te dé pena hacer algo así, pero más pena debería darte que una familia trabaje 40 años y no tengan ni $5,000 dólares ahorrados.

Se hizo un estudio donde le preguntaron a los Forbes 400 —que son las familias más ricas de Estados Unidos— cuál es la clave número uno para acumular riqueza. El 75% de ellos contestó "salir de deudas y mantenerse alejado de las deudas es la clave número uno para acumular riqueza". El arma más poderosa para crear riqueza es tu ingreso. Mientras tu ingreso esté bajo, las garras de las deudas harán que sea casi imposible acumular riqueza. Ya es tiempo de desatar tu ingreso para experimentar crecimiento y vivir en paz. Imagínate que, en vez de vivir toda la vida con un pago de carro, invirtieras lo que pagas por el carro. Si tú inviertes el pago de carro —que, en promedio, hoy día es de casi $500—, si inviertes ese pago de $500 de los 25 a los 65 años de edad, en una cuenta de inversión que experimenta el mismo rendimiento que ha generado históricamente, acumularías 5,800,000 de dólares. ¿Carros nuevos o 5.8 millones de dólares?

Este capítulo no fue corto; es más, la técnica para salir se llama la bola de nieve y te lo pude haber enseñado en dos o tres párrafos, pero he visto que la gente que aborda este tema de manera intelectual no sale de deudas. Para salir de deuda se requiere *garra* y tienes que sentir desde adentro un *agrrrrr* para salir. Si no sientes el peso de las cadenas de la deuda es porque ya te acostumbraste. Si todavía no tienes deudas, espero te mantengas alejado de ellas. Solo este capítulo puede traer a tu familia millones de dólares con el ejemplo de invertir el pago de carro que es tan común hoy en día y que mucha gente cree que es parte de la vida, como si fuera el aire. Si tienes deuda, no vas a salir en 30 días, pero tener tu plan de la bola de nieve hecho en papel y saber cuándo sales te dará una esperanza como nunca antes. *¡Vamos!* Vive libre de deudas para experimentar lo que yo llamo: Paz Financiera.

7

El otro lado de la ecuación

Aumenta tus ingresos

¿Pala o excavadora?

Tapar un hoyo o acumular un montón de tierra sería más fácil con una excavadora que, con una pala, ¿verdad que sí? Con tu vida financiera es igual. Hay dos lados en la ecuación —ingresos = gastos— que causan problemas financieros. El lado que más comúnmente causa problemas financieros es la falta de orden para controlar los gastos. Aunque muchas veces se cree que los ingresos no son suficientes y por eso tienes problemas financieros, la verdad es que eso no es lo que los provoca generalmente. Si estás pensando: "ese soy yo", y crees que, si tu ingreso fuera mayor todos tus problemas se resolverían, te puedo decir, con mucha seguridad, que estás equivocado. Otro generador de problemas financieros puede ser un corazón insatisfecho, de lo cual ya hablamos oportunamente; pero el punto es que casi siempre son problemas de administración. Ahora bien, cuando el problema es de ingresos, la respuesta a tus problemas no es más administración, sino más ingresos. Tener un mayor ingreso es algo que todos queremos –bueno… casi todos—, y quiero guiarte para lograrlo.

Antes que nada, entendamos de dónde viene el dinero. El dinero no viene del gobierno, de los bancos, ni de una herencia ni de la lotería. El dinero tampoco viene por andar protestando en la calle en alguna marcha o un mitin. No entiendo cómo la gente puede andar entre semana, durante horas de trabajo, en una marcha; especialmente, cuando las marchas son por varios días. ¿Por qué no están en su trabajo? ¿Puede su empleador sacar el trabajo adelante sin esa persona? ¿Qué harías tú con un empleado que no se presenta porque anda en una marcha? O, peor aún, te mintió diciendo que está enfermo y después lo ves en la televisión aventando piedras en el mitin. ¿Será que es gente sin empleo que quiere algo mejor para su vida, pero que no ha entendido que el dinero viene del trabajo y por eso andan protestando? Cuando comprendes de dónde no viene el dinero, automáticamente descubres la fuente de donde sí proviene.

Como dijo mi abuelo, "Hay un excelente lugar para ir cuando estas 'quebrao'... a trabajar". El dinero viene del trabajo. Viene al intercambiar tu tiempo, conocimiento, experiencia, talento por dinero. Otra manera es el intercambio de productos o servicios por dinero, a través de un negocio. Y una más, si te administras bien y no te gastas todo lo que ganas, con el tiempo, juntas algo de dinero y al invertirlo, tu dinero genera más dinero. El enfoque de este capítulo es cómo generar más dinero hoy día y cómo hacerlo de manera eficaz.

Más dinero ¡ya!

La fórmula para generar más dinero ¡ya! es sencilla. Más horas de trabajo = más dinero. La manera más rápida de generar dinero, hoy, es incrementar el número de horas trabajadas. Si trabajas 40 horas por semana y las incrementas a 60, tu ingreso aumentará, por lo menos, 50%. Esta sería mi recomendación para quienes están en crisis. No hay crisis que resista 80 horas de trabajo por semana.

> Los *quebraos* son la presa más fácil para el engaño más viejo que existe: la promesa del dinero fácil y rápido.

Es posible que hagas recortes en tu presupuesto; sin embargo, muchas veces, la gente ya no tiene lujos y está pagando solo por sus necesidades y, de todas maneras, no les alcanza para los pagos y, mucho menos, para atacar las deudas. Hacer una venta de garaje solo genera una pequeña cantidad y solamente por una o dos veces al año. Por eso, la solución inmediata y de mayor impacto es incrementar tus ingresos, y la manera más rápida es pedir más horas a tu empleador o tomar un trabajo extra de medio tiempo. Si tienes alguna destreza, habilidad, talento puedes publicar algo en el internet para ofrecer tu servicio. Unos dan clases de guitarra porque generan más dinero que si trabajaran en un supermercado. Otros instalan estéreos y televisiones en los carros, porque les gusta y les genera más dinero. Mi recomendación es que no esperes para generar más ingreso y empezar a darle machetazos a la crisis. Por ejemplo: Entregar pizzas por las tardes, después de que regreses del trabajo, te puede generar de $1,000 a $1,500 dólares por mes. ¿Te imaginas qué sucedería si le mandas $1,500 adicionales a tus deudas por encima de los $500 que ya estabas mandando? Una deuda de $10,000 dólares desaparece en 5 meses y no en 20, de $500 en $500. Otra recomendación hoy en día es convertirte en un taxista con la compañía Uber. Yo viajo mucho y uso ese servicio. Siempre hablo con las personas durante el recorrido; muchos de ellos me cuentan que han dejado sus trabajos y ahora solo se dedican a manejar para Uber. Aparte del dinero, todos disfrutan de la independencia al no estar atados a un horario fijo. Al igual que podrías entregar pizzas de seis a nueve de la noche, también podrías manejar y trasladar gente de un lado a otro. El punto es que a más horas de trabajo más dinero para atacar la crisis con todo. Claro está que esto sería algo temporal mientras sales de deudas, pues ya con tus deudas pagadas, puedes volver a tu sueldo normal y tendrás dinero hasta de sobra. Tristemente, hay mucha gente que ha tomado un segundo trabajo, pero rapidito ajustan su nivel de vida a esos ingresos y ahora están amarrados necesitando ese segundo empleo solo para sobrevivir. Eso es la cárcel del trabajo.

A veces te invitan a una conferencia para convertirte en millonario. Allí te explican el cuadrante del flujo de dinero y cosas así. Es bueno que aprendas todo eso y más; sin embargo, cuando estás en crisis no es momento para aprender de cuadrantes, es tiempo de duplicar tus horas para salir de la crisis. Ya que estés fuera de la crisis, estable, entonces puedes aprender cómo "convertirte en un millonario". Es más fácil lanzarte desde una superficie sólida que cuando estás hundido con el agua hasta las narices. Aparte, ese tipo de conferencias te van a meter más en el hoyo de la deuda porque, aunque la entrada es gratuita (ese es el gancho), te van a poner una presión increíble para que firmes por su *coaching* de miles de dólares que no tienes y, aunque no traigas el dinero, ellos te ofrecen pagos. Los 'quebraos' son la presa más fácil para el engaño más viejo que existe: la promesa del dinero fácil y rápido.

Como ganar más

Hablando de ganar más dinero ¿Por qué no ganar $20, $30, $50 o $100 por hora? ¿Es posible que puedas ganar esa cantidad? Sí, es posible, y depende de ti. Sin embargo, tengo que decirte que, con toda certeza, la gente que no tiene un plan para ganar más, casi nunca pasa de $12 la hora. ¿Cómo rompes esa barrera de ingresos donde mucha gente se estanca? Son pocos los que entienden qué es lo que se necesita para ganar más. En realidad, es un concepto sencillo. Mientras mayor valor le traigas a tu empleador, mejor será tu ingreso. Entre menos indispensable y más fácil de reemplazar sea lo que haces, menor será tu pago. "¿Qué, ¿qué, Andrés?" Aquí les va con un ejemplo muy obvio. Si tu trabajo en el supermercado es jalar latas de atrás hacia el frente para que la gente pueda ver el anaquel lleno y no tenga que esforzarse en estirar su brazo para tomar una lata que está hasta el fondo, tu trabajo no es de mucho valor. Aparte, tu trabajo es fácilmente reemplazable. No se requiere mucho entrenamiento para traer a otra persona a que haga tu trabajo. Yo sé que esto es obvio, pero muchos no han pensado en este concepto. Tu sueldo está directamente relacionado con el valor que tu trabajo representa. Ahora bien, si tu eres un cirujano, tú agregas mucho valor para la familia y para el hospital donde trabajas. Esa habilidad no se reemplaza tan fácilmente y, por lo tanto, se gana muchísimo dinero. Para que te quede bien claro: ¿A quién le das las gracias con más entusiasmo, al cirujano que le salvó la vida a tu marido o al trabajador del súper que jala las latas hacia enfrente?

No esperes que te paguen mucho si tu trabajo es jalar latas hacia el frente. Hay países que creen que el cirujano y el basurero deben ganar lo mismo, por eso nadie migra a esos países. Bueno, ese es tema para otra ocasión. Si la gente empieza a exigir que se les aumente el sueldo por hacer un trabajo insignificante; es decir, los negocios no pueden soportar esos sueldos, ese tipo de trabajo va a ir desapareciendo y serán reemplazados por robots. Hace poco estuve en Nueva York y entré a un restaurante de comida rápida. Había mucha gente, pero solo una persona atendiendo. En vez de tener personas tomando tu orden, tienen computadoras donde haces tu pedido. Después de pedir mi combo, se imprimió un papel con un numerito y, al poco tiempo, vi mi numero en una pantalla; mi orden estaba lista.

> No se toma mucho para brillar entre gente que gana el mínimo.

Si los negocios son forzados a aumentar el salario mínimo, tendrán que subir sus precios. Entonces, el que gana el nuevo mínimo sigue en el mismo dilema pues el sueldo no le alcanza porque los productos están más caros. Si el sueldo mínimo sube, las empresas despedirán a unos y pondrán más responsabilidad sobre otros, o como dije antes, buscarán tecnología que haga ese trabajo. Mi punto es que el sueldo mínimo no es suficiente y aumentarlo de manera arbitraria no es la solución. Tú no puedes vivir del sueldo mínimo ni quieres conformarte con eso. Aunque dos personas, administrándose bien, pueden vivir ganando el mínimo, tu meta es alejarte del mínimo lo más rápido posible. Deja esos trabajos a chicos como mis hijos que pronto entrarán a la fuerza laboral de jóvenes desde 14 años de edad hasta que se gradúen de la universidad. Permite que ellos se ganen un dinerito sirviéndote en algún restaurante. Otro grupo de personas que puede ganar el mínimo son los que no han leído este libro je, je, je, je, je. A propósito, no se requiere de mucho para ganar rapidito más del mínimo. Nunca llegues tarde y mientras estás en el trabajo, ¡trabaja! No se toma mucho para brillar entre gente que gana el mínimo. Llega a tiempo y haz tu trabajo con entusiasmo y no creo que pasen más de tres meses para que te ofrezcan aumento de sueldo. Eso es lo que hacen los empleadores para motivarte a que te quedes y no te vayas. Ellos han hecho los cálculos, y es mejor pagarte más que arriesgarse a buscar a otra persona y entrenarla, solo para darse cuenta que no es tan buena como tú. Mientras mejor sea tu desempeño en el trabajo, más quieren retenerte y más te aumentan el sueldo. Aparte, uno se siente mejor y el tiempo corre más rápido cuando trabajas con esmero que cuando estás en el trabajo viendo el reloj esperando que pase el tiempo. Ese tipo de persona es la que no pasa del mínimo, si tiene la suerte de retener el empleo. A propósito, estar en el trabajo y no trabajar es robar porque se te está pagando por trabajar, no por estar en Facebook o conversando con los demás. Esa gente no vale ni el mínimo, además, son los que están dispuestos a ir a una marcha para presionar a los políticos a aumentar el salario mínimo. Esa gente con mentalidad de protesta siempre se está quejando de su sueldo y de todo lo demás. Tú aceptaste ese sueldo por ese trabajo, no te quejes. A la gente que se esmera en su trabajo nunca las verás en una marcha, ellos están ocupados trabajando. Un incremento al mínimo no les interesa porque ya ganan más que eso. Miren qué bonito lo dice la Biblia: *La mano negligente empobrece; mas la mano de los diligentes enriquece. Proverbios 10:4* (NVI)

Hablando de flojos… llega uno a una farmacia y pregunta, "¿Tiene pastillas pa' la flojera?". "Sí. ¿Me podría poner dos en la boca?". Sin duda, hay empleadores aprovechados, pero son más la excepción que la norma. La mayoría se preocupan por su gente y quieren que ganen bien. Tu

> ## Si quieres ganar más, haz algo diferente que pague mucho más.

plan deber ser ganar mucho más que el mínimo. "Andrés, entonces ¿qué es lo que me estás recomendando?". Si quieres ganar más, deja de hacer lo que estás haciendo y haz algo diferente que pague mucho más. Si tu meta es duplicar tus ingresos y tu trabajo no tiene el potencial de pagarte el doble tienes que salir de allí. No estoy diciendo que mañana, pero sí pronto, después de desarrollar un plan para salir. Siéntate a la mesa con un papel y un lápiz y piensa cuánto quieres ganar ¿$25 la hora? Averigua quién gana eso y haz lo que esa persona hace. Tal vez te tome uno o dos años si tu investigación te dice que tienes que sacar alguna certificación, licencia, diplomado, etc. Puede ser que solo tengas que ir a trabajar en eso por unos meses para aprender todo lo que puedas y después arrancar tú solo. Un herrero y un contador ganan mucho más que el mínimo. No necesitas un diploma para aprender a soldar. Puedes ir a la escuela para obtener la certificación de que sabes hacer soldadura submarina y ganar hasta más de $40 por hora. Como dije hace rato, el que no apunta a ganar mucho más, no pasa de $12 la hora; y seguirá esperando, de marcha en marcha, a que el gobierno le resuelva sus problemas financieros. Como dicen en mi pueblo *"vas a esperar sentado"* o como dice don Chepe, el carnicero, "así no sale, jefe".

Cómo crecer el negocio

También en los negocios entre mayor valor le traigas a tus clientes, mayor será tu ingreso; y entre mayor valor le traigas a más personas, mayor será tu ingreso. Me explico con más detalle. Cuando uno piensa en negocios exitosos es muy probable que tenga muchos clientes. Yo sé que esto suena obvio, pero con lo ocupado que todos andamos es fácil pasar por alto este detalle. Muchas veces me preguntan: "¿Qué puedo hacer para ganar en mi negocio? ¿Cómo puedo tener más clientes?". Ese es el meollo del asunto. Me encantaría decirte: "presiona este botón y listo, allí viene una fila de gente hacia tu negocio". No es así de fácil; entonces, enfoquémonos en lo más importante.

Asumamos que ya has pensado bien en la calidad de tu producto o servicio y el precio es justo; entonces, necesitas un megáfono para correr la voz. Generar más clientes es lo más importante para que un negocio sea próspero. La gran mayoría de la gente que inicia un negocio propio no tiene ni idea sobre cómo atraer clientes. Ni siquiera la gente con título universitario sabe cómo hacer esto. No creas que, porque terminaste tu carrera, rentas un local y abres las puertas significa que los clientes van a entrar. He visto abogados y dentistas cerrar sus negocios por este problema. Para todos es difícil al principio porque no tienen una cartera de clientes. El punto es que por muy bueno que sea tu servicio, la gente no sabe que existes. A propósito, no eres el único con un buen servicio o con el mejor corazón para servir a tus clientes. Eso no es suficiente para que los clientes lleguen.

Tal vez todo mundo te ha dicho que tus pasteles son los mejores y si pusieras un negocio de pasteles te iría muy bien. Así han arrancado muchos negocios que fracasaron porque una cosa es hacer un pastel por semana y otra muy diferente producir suficientes pasteles como para pagar la renta, servicios, salarios y tener ganancias para vivir de eso. Mi objetivo no es desanimarte sino hacerte pensar y darte algunas herramientas para que tengas ingresos para administrar. Si tu negocio no genera lo suficiente, se te vendrá una crisis terrible. Antes de arrancar tu negocio, o si ya lo tienes, debes crear un plan sobre cómo atraer clientes. La tarea del dueño no es solo conocer su producto o servicio, también tiene que ser bueno para el mercadeo. Lo mejor siempre será, y seguirá siendo, las recomendaciones de quienes ya son tus clientes o de la gente que te conoce. La mayoría espera que los clientes satisfechos o los amigos los recomienden espontáneamente, pero es mejor aprender a pedir referencias y recomendaciones. Ofréceles a tus clientes algo a cambio de referencias. Si sale algún nombre durante la conversación, puedes preguntar: "Te molestaría si llamo a Francisco para presentarme con él?".

Lo malo de las referencias es que un cliente satisfecho solo le dice a una pesona y eso no es suficiente. No esperes a que la gente llegue o te llame; tienes que ir por ellos. Publica tu negocio o productos en páginas de internet locales donde ya hay mucha gente buscando productos y servicios. Aquí, en Estados Unidos, existe una página de internet que se llama *Craigslist*. En México, hay una que se llama "mercado libre" y sé que en todos los países existe este tipo de páginas. He visto gente construir sus negocios de esa manera. Esas páginas te permiten publicar gratuitamente y te conecta con personas que andan buscando tu servicio o producto ya que tienen todo separado por listas. He contratado gente para diferentes servicios en esa página y me cuentan que, desde que se empezaron a publicar en esa página, se mantienen bastante ocupados. Recientemente, contratamos unas personas para arreglar la puerta de garaje de nuestra casa. Quedamos bastante satisfechos con el trabajo y el precio que pagamos por la reparación.

Hoy día, se puede hacer mucho con las redes sociales ya que todos estamos allí. El 2016, es el año en el que las agencias de publicidad invirtieron en este tipo de promoción lo mismo y hasta más de lo que estaban invirtiendo en los medios tradicionales: la prensa, radio y televisión. Mucho de eso se puede hacer sin pagar, solo publicando tu negocio con frecuencia. La gente se identifica más con una persona que con un negocio; así que publica en tu página personal y no necesariamente en la de tu negocio que nadie sigue. Si te dedicas a limpiar alfombras, pon fotos de antes y después. Este no es un libro de *marketing* porque no soy un experto en eso, pero he aprendido lo suficiente para decirte que te enfoques en los beneficios y no en las características de tu producto o servicio. No estoy diciendo que no menciones características, pero más gente te va a contratar por ver la diferencia en esa foto de la alfombra sucia y cómo quedó, que por decir que no usas químicos tóxicos. Eso puede ser importante para algunos, pero las fotos (testimonios) son más impactantes.

Si todavía quieres generar más clientes, el siguiente nivel, es empezar a invertir en publicidad. Aquí es cuando tu negocio pasa de microempresa a empresa. Puedes empezar por las redes sociales donde uno puede controlar cuánto inviertes y ser muy específico acerca de a quién quieres alcanzar. La bueno de aprender a administrar tus finanzas personales es que esos hábitos también se pasan a tu negocio. A medida que incrementas el número de clientes y logras superar la etapa de sobrevivencia, te recomiendo invertir, por lo menos, el 10% de los ingresos de tu negocio en publicidad para mantener un flujo continuo de clientes. Esto puede ser en publicidad tradicional o puede usarlo de maneras más creativas: reuniones, eventos, invitaciones a comer, etc.; lo más importante es: 1) que generen ventas y 2) que te mantengas dentro de ese presupuesto. Si pintas casas, ponte la meta de presentarte con un contratista general todas las semanas. Lo ideal es que $1 invertido en publicidad te dé $2 en entradas. Habrá medios que, dependiendo de tu negocio, te darán un retorno de inversión mucho mejor que ese. La pregunta es ¿Cuántas veces debo invertir $1 que me dé $3? Todas las veces que puedas. Pero, aunque inviertas $1 y tu retorno sea $1, te recomiendo que continúes porque tu cartera de clientes sigue creciendo y ese cliente seguirá consumiendo si lo cuidas y te mantienes en contacto con él a través de tu base de datos.

No todos los negocios son buenos

Un tipo le dice a un amigo. "Fíjate que tengo la mejor idea de negocio". "¿Qué es?" "Voy a vender licuados y batidos en el centro del desierto". "¿En el centro del desierto? Nadie va a llegar". "Uno nunca sabe, ¿qué tal si llega uno? ¿Te imaginas lo sediento que va a llegar?".

No todos los negocios tienen potencial. Hay muchos negocios que nunca pasarán de sobrevivencia por lo que generan. Típicamente, estos son negocios donde el precio del producto o servicio es muy bajo. Cuando ese es el caso, hasta pagar la renta es una lucha todos los meses. Por ejemplo, si tu negocio es vender paletas de hielo y las vendes por $1.50 y el costo al proveedor de las paletas es de $0.50 entonces tu ganancia por paleta es de $1.00. Si tu negocio trae gastos de operación de $2,000 entre renta, luz, agua, empleado y pinol (para mantener limpio el negocio) y abres seis días a la semana, significa que tu negocio está abierto 25 días al mes y tiene un costo de operación diario de $80.00 dólares. Tienes que vender un promedio de 80 paletas diarias, solo para cubrir los gastos, olvídate de sacar dinero para llevar a tu casa. Si ustedes como familia necesitan $2,400 (2,400 / 25 = $96) entonces, necesitas vender casi 100 paletas más cada día. Necesitas 20 paletas más para cubrir los impuestos. Ahora estamos hablando de vender 200 paletas todos los días solo para vivir. ¿Será posible que el negocio venda esa cantidad de paletas todos los días? Desde que abrió, ese negocio estaba destinado a morir.

Qué tal un negocio donde se instala aire acondicionado. Si vives en un área donde hace mucho calor, te puedo decir que todo mundo, hasta el de menos recursos, quiere y tendrá aire acondicionado. En Estados Unidos es muy común tener aire acondicionado central. Cuando es tiempo de reemplazar el equipo, ese costo será entre $2,500 y $5,000 para una casa promedio. Al instalador le puede quedar casi la mitad de lo que se cobra. Con solo instalar 2 por semana el ingreso es muy alto. En nuestros países, donde se instalan los *mini-split*. Aunque el costo no es tan alto, sigue siendo fuerte. En una casa se podrían instalar tres y cada uno cuesta $500. Estamos hablando de $1,500 dólares por cliente de ese nivel. Si la ganancia es la mitad, con dos clientes por semana podría ser un negocio increíble. Ahora bien, sí se es bueno para correr la voz y tomar ventaja de la publicidad, hay negocios que instalan más de dos clientes diarios.

El punto es que tienes que pensar en el potencial del negocio antes de abrir. Por mucho que te guste empacar regalos y vender tarjetas, es muy difícil tener éxito en tu negocio si cobras $5 por regalo. Aunque tuvieras 20 clientes todos los días, solo generarías $100 diarios menos el costo de los materiales y los costos de operación. Sin duda, hay negocios de entradas bajas por cliente y sobreviven; y hasta son exitosos, pero son más la excepción que la norma. Piensa cuánto quieres ganar, apunta en grande y haz los cálculos para ver si esa idea de negocio tiene la capacidad de rendir eso. El objetivo principal de un negocio es generar dinero. Ese es el propósito de un negocio y eso no tiene nada de malo, ni de macabro, tampoco es pecado. Si la gente está contenta con tu servicio o producto, ellos —aparte de pagarte— hasta las gracias te dan.

Multiplicación

El gran salto para experimentar la multiplicación es cuando pasas de ser trabajador por cuenta propia a empresario. El trabajador por cuenta propia es el que instala aires acondicionados, el que reconstruye transmisiones, el que todavía se sube a los techos para instalar teja, la que cose vestidos y la que hornea un pastel para la venta. El empresario ya no hace nada de eso. El empresario se hace cargo y está al pendiente del número de llamadas que están entrando, está al pendiente de la contratación de nuevos empleados, no despega el ojo de la contabilidad. En pocas palabras, ya no hace lo que el negocio ofrece. Generalmente, entre mayor el número de empleados, mucho más fuertes tus entradas. Yo creo que todos los que hemos tenido empleados podemos decir: "entre mayor el número de empleados más problemas", pero eso es parte de ser empresario. El punto es que la multiplicación depende de cómo te duplicas. Tú solo, con un ayudante, podrías instalar dos aires acondicionados, pero tu empresa podría instalar 10 diarios. La gente más exitosa no son los cantantes, ni los actores, ni los jugadores profesionales de futbol. La gente más exitosa son los que pagan los sueldos de esas personas que son empresarios con muchos empleados. Es muy probable que empieces trabajando por tu cuenta, pero si tratas a la gente como te gustaría que te traten y el negocio tiene potencial, así como lo mencionamos, sin duda el negocio crecerá y eventualmente tendrás un negocio que experimenta esta multiplicación.

Advertencia

Cuando el dinero toma el puesto principal en tu vida, todo a tu alrededor se empieza a pudrir. Cuando el objetivo principal es únicamente ganar más dinero, solo por tener más dinero, tus relaciones van a sufrir, tu salud va a sufrir y tu relación con Dios va a sufrir. Cuando el objetivo es *más, más, más*, empiezas a ver a la gente: tus empleados, tus clientes,

> ¿Qué prefieren, una casa grande con un padre ausente o una casa más pequeña con un padre presente?

como unidades de producción y terminas solo. Ganar más dinero es fabuloso, pero cuidado, porque rápidamente se puede convertir en avaricia y eso acaba con todo. Trabajar como animal por un período corto para salir de una crisis tiene sentido si la familia está de acuerdo y entienden la razón por la que no verán a papá en las tardes durante los próximos seis meses. Ahora bien, trabajar como animal para mantener un nivel de vida que no se pueden dar si trabajaran un turno regular, no tiene sentido. Dejemos esto más claro. ¿Cuándo no tiene sentido trabajar como un animal? No tiene sentido trabajar doble turno por tener una televisión más grande y una camioneta con un pago de $800 al mes. Cómo responderían tus hijos a esta pregunta: ¿Qué prefieren, una casa grande con un padre ausente o una casa más pequeña con un padre presente? (Solo para que sepas, cuando digo "presente" quiero decir que estés allí, interactuando con tu familia en armonía y con interés en cada uno de ellos. No me refiero a que tu cuerpo esté sentadote ante el televisor y tu voz parezca estar conectada a las bocinas cada vez que gritas para que te sirvan algo. ¿Estamos?) Cuando tengas 80 años no dirás: "¡Qué bueno que trabajé tanto! Le pude poner una televisión de 70 pulgadas a mi familia y pude andar en una camioneta de súper lujo". Te aseguro que lo que vas a pensar es: "¿Por qué trabajé tanto para solo tener más cosas? La vida se fue muy rápido y me perdí la mejor parte, estar con ellos más tiempo; ahora mis hijos ni vienen a visitarme al asilo". Creo que esto queda muy claro en lo que dice la Escritura: *Pues el amor al dinero es la raíz de toda clase de mal; y algunas personas, en su intenso deseo por el dinero, se han desviado de la fe verdadera y se han causado muchas heridas dolorosas. 1 Timoteo 6:10,* (NTV).

Es difícil definir con claridad ese balance entre querer proveer algo mejor para tu familia y pasar más tiempo con ellos. Yo creo que esto es más difícil para los hombres porque por naturaleza somos proveedores y queremos lo mejor para nuestra familia. Yo le pido a Dios sabiduría para que me muestre dónde está esa línea. Una de sus respuestas es que Él nos ha dado esposas. En el capítulo 31 del libro de Proverbios dice que las mujeres tienen una sabiduría que si el hombre la escucha "el no carecerá de ganancias". Eso significa ganancias financieras, pero también ganancias personales. Te recomiendo fuertemente que leas ese capítulo. Habla con tu esposa y pregúntale qué piensa sobre la cantidad de tiempo que pasas trabajando. Ella sabrá cuándo es tiempo de trabajar más duro y cuándo es tiempo de ponerle freno. Si eres soltero, tienes a tu mamá, tía o abuela. El soltero está soltero, así que él puede enfocarse en trabajar duro durante su soltería para ir avanzado en su carrera o negocio y, cuando llegue su media naranja, tener un mejor balance entre el trabajo y la familia.

Ya sea por medio de un trabajo que te paga más o un negocio con potencial, no hay nada de malo en querer un mayor ingreso. No eres un avaro por apuntar a tener un mayor ingreso. Al contrario, creo que generar más dinero es una bendición para tu vida y tu familia siempre y cuando lo veas desde la perspectiva correcta. El hombre más sabio y rico en la historia del ser humano, el rey Salomón, dijo lo siguiente:

En esta vida ser sabio es bueno, pero ser sabio y rico es mejor. La sabiduría protege, y el dinero también, pero la sabiduría nos permite llegar a viejos. Eclesiastés 7:11-12, (TLA)

8

La casa

El sueño de todos

Para muchos, el sueño más grande es tener su propia casa. Dejar de rentar y tener nuestra propia casa nos hace sentir realizados. No hace mucho tiempo, este sueño llevaba a una familia a planear sus finanzas para poder ahorrar y empezar por comprarse un terrenito. Después, seguir ahorrando y empezar a comprar materiales para construir los cimientos y, poquito a poquito, la casa. Todos empezaban por una casita muy modesta y para cuando llegaban a ser abuelos o bisabuelos, tenían la casa más grande del vecindario. Si ves el diseño y la construcción de estas casas, te das cuenta de que no había un plano final para la casa, solo el sueño de tenerla; y por eso, esas casas parecen rompecabezas porque se les iba añadiendo cuartos cuando necesitaban más espacio y conforme tenían el dinero. Ahorrar era la única manera de comprar casa. Por mucho tiempo, los préstamos hipotecarios solo eran para la gente de clase alta. En las últimas décadas, especialmente en estas últimas dos, si tú le puedes comprobar al banco que puedes respirar, te dan el préstamo. La forma de pensar ha cambiado tanto que ha roto el paradigma del ahorro y la gente ya no ve otra manera de obtener una casa si no es con un préstamo.

Lo que el banco olvidó, y la gente no sabía, es que un préstamo significa riesgo. Después de hablar con miles de personas, ¿sabes qué porcentaje de las casas embargadas tenían un préstamo en su contra? Todas. Cuando la casa está pagada, nadie te la quita. En esta última década, Estados Unidos experimentó una de las peores recesiones en su historia. En el momento nadie la vio venir, uno que otro gritaba "esto no va a terminar bien", pero los consideraban locos y, tristemente, se comprobó que prestar dinero— aunque sea para una casa—, representaba un riesgo. Estados Unidos casi termina de rodillas y, por supuesto, esta situación tuvo un impacto mundial. Se dice que cuando a Estados Unidos le da un resfriado, al resto del mundo le da pulmonía.

No le tengas miedo a la renta

Yo escuché a mi papá, muchas veces, decir que rentar es tirar el dinero a la basura. Es más, seis meses después de haber terminado la universidad, mi hermano y yo vivíamos en un apartamento. Eso que escuché toda mi vida, me llevó a querer comprar una casa antes de tiempo. Hoy en día, las parejas solo tienen seis minutos de casados y ya están siendo bombardeados por consejos equivocados sobre la compra de una casa. "No renten, no renten, no renten porque los que rentan se van al infierno"; "eso de rentar es como echar el dinero a la basura", "rentar es de pobres"; "¡cómo se casan tan pronto, si ni para la casa tienen!". Ponen tanta presión, que muchas parejas terminan cediendo y —demasiado temprano en su matrimonio— añaden la presión y la responsabilidad que lleva comprar y mantener una casa. Una pareja joven necesita tiempo para pensar qué tan cerca quieren vivir de los suegros. Una pareja joven necesita tiempo para combinar sus finanzas y empezar a operar como un solo ser, como manda la Biblia. Necesitan trazar metas juntos, establecer un presupuesto y vivir un poco para saber dónde quieren ubicarse en relación a la distancia al trabajo. La volatilidad de una pareja joven recién casada en cuanto a sus empleos, es extrema. Si necesitan mudarse a otra ciudad, lo que se supone que era una inversión se puede volver en una pérdida cuando tienes que vender pronto o, peor aún, terminas rentando tu casa y ni pa' qué te cuento. ¡¡¡Calma!!!

Antes de comprar, una pareja joven necesita rentar por lo menos un año. Rentar muestra paciencia y madurez. La Biblia dice que una pareja de recién casados tiene que ser mantenidos por la comunidad durante un año para que tengan el tiempo necesario para conocerse, ajustarse y aprender a vivir juntos. Cuando leí esto en la Biblia me gustó mucho, pero no fue así para mí ni para la mayoría de los recién casados hoy en día. Al contrario, una pareja arranca con una hipoteca, dos pagos de carro, préstamos estudiantiles, tarjetas de crédito y un poquito de deuda con los suegros. Con razón las finanzas son la causa número uno de divorcio. Insisto: Calma.

Es bueno y sabio rentar porque el riesgo es mucho menor. El orden de prioridades es salir de deudas, juntar un fondo de emergencias y después comprar casa. Cuando uno renta, no tiene la responsabilidad de hacer reparaciones. Hace unos días, pasamos un tiempo con unos amigos; un matrimonio ya maduro, y nos compartieron su preocupación porque ha habido asentamiento en su terreno y la casa muestra fracturas estructurales. ¡Ay! Eso es cosa seria, de miles y miles de dólares. Cuando rentas, solo llamas al dueño o al administrador y ellos tienen que absorber el riesgo. Si deja de funcionar el aire acondicionado, los llamas y ellos mandan al *Superman* que te rescata del horrible calor o del espantosísimo frío. Se puede filtrar agua por el techo y causar mucho daño, como lo sería una fuga entre las paredes o un problema de termitas. No estoy tratando de asustarte, pero es la realidad del riesgo de ser dueños. Después de un tiempo prudencial, tiene sentido que compren casa. Mientras tanto, estabilízate y renta, eso es mejor.

Pero las reparaciones no son el riesgo financiero principal. Cuando te metes a comprar una casa sin dinero, el problema es que la casa no tiene cortinas. Es muy divertido poner toallas como cortinas por dos días; pero, después esa será, posiblemente, la primera pelea de la pareja. "Pero no es tiempo de comprar cortinas". "¿Qué quieres? Que nos vean los vecinos cuando..." Aquí es cuando se escucha "Pelearáaan a dos de tres caídas, sin límite de tiempo. En esta esquinaaaa..." y los vecinos, sonriendo, dicen: "Escucha mi amor, es su primera pelea de recién casados; por ahora son gritos, no falta mucho para escuchar sartenes y sillas volando". Créeme, esto es un gran riesgo porque hoy en día puedes ir y sacar todo a crédito, aunque no tengas una tarjeta. La tienda te financia cortinas, sábanas, sala, comedor, refrigerador, lavadora, secadora, pisos, máquina para cortar el césped etc., etc., etc. Este es el mayor riesgo que confronta la pareja especialmente hoy que es tan fácil entrar a cualquier tienda, escoger lo que te gusta y llevártelo a tu casa sin tener el dinero.

El punto es que no hay que tenerle miedo a rentar durante un tiempo a fin de prepararte y comprar ya que estés estable, parado sobre una plataforma firme. La Biblia dice que una casa construida sobre la roca se mantiene firme cuando llegan las tormentas; pero una casa sobre la arena es fácilmente abatida. Lucas 6:48 dice: *"Semejante es al hombre que al edificar una casa, cavó y ahondó y puso el fundamento sobre la roca; y cuando vino una inundación, el río dio con ímpetu contra aquella casa, pero no la pudo mover, porque estaba fundada sobre la roca* (RVR1960). Aunque la Escritura está hablando de estar parado firmemente sobre los principios de Dios, la ilustración es muy buena y oportuna pues estos principios están fundamentados sobre la Palabra de Dios.

El pago de la casa

Muchas veces escucho: "Si compramos casa, el pago quedaría igual que la renta". Escúchenme, aunque el pago sea igual, rentar es más económico. Cuando el banquero te habló del pago, él se refería al pago del banco. A propósito, en Estados Unidos a eso le llaman P&I (*principal and interest*) que es el pago que cubre los intereses que se le pagan al banco y lo que va

> **Rentar por un periodo para estabilizarte muestra paciencia y madurez.**

para reducir el principal. Lo que tal vez no incluyó, es el pago de los impuestos sobre la propiedad, el seguro para proteger la propiedad y otros seguros para que ellos se protejan si tú no cumples con el pago.

Impuestos

Los impuestos sobre la propiedad es lo que cobra el gobierno para sostenerse y esos nunca paran. Mientras seas el dueño o tengas control sobre la propiedad, pagarás impuestos. Aunque tengas tu casa pagada, si no pagas los impuestos, el gobierno te la puede quitar. Es triste que las familias pierdan sus casas por no pagar los impuestos, pero todos los días le sucede a miles y miles de familias. En inglés le llaman "*property taxes*" [impuesto sobre inmuebles / impuesto sobre la propiedad]. Esto varía dependiendo del lugar donde vivas. Puede ser desde 1% del valor de tu propiedad hasta un poco más del 3%. Por ejemplo, el estado de Texas cobra el 3%, lo que significa que en una casa que tiene un valor de $100,000 dólares, paga un impuesto de $3,000 al año. En una casa de $200,000 serían $6,000 al año. Eso, aunque tengas tu casa pagada, solo son impuestos. Esto puede ser muy difícil para una persona jubilada que vive solo de la pensión del seguro social. A medida que vaya subiendo el valor de tu propiedad, los impuestos que pagas van a aumentar.

Seguro sobre la propiedad

El seguro sobre la propiedad protege tu casa por si le sucede un daño. En inglés le llaman "*property insurance*" [seguro de la propiedad]. Este seguro te protege si la propiedad se quema, se inunda por una fuga de agua, si se entran los ladrones, si un huracán o tornado la destruye o causa un daño severo al techo o un lado de tu casa. También te protege si le cae un árbol o si tu árbol se cae y destruye la casa o el carro de tu vecino. Dependiendo de la cobertura, hasta te puede reemplazar ventanas si tu póliza tiene ese tipo de cobertura. Mientras tengas una hipoteca, el banco te obligará a mantener este tipo de seguro sobre la propiedad porque básicamente ellos son los dueños y quieren estar seguros de que, si la casa se quema, alguien responderá para reconstruirla. Ya que tengas tu casa pagada, no estás obligado a mantener este tipo de seguro. Sin embargo, te recomiendo que lo hagas ya que tiene sentido pagar para que alguien más responda si la casa sufre un daño fuerte o si tiene que ser reconstruida por completo. En pocas palabras, pagar $900 dólares al año para proteger un activo de $100,000 tiene sentido financiero. Además, si practicas los principios que te enseño en este libro y tienes un fondo de emergencia puedes incrementar el deducible hasta el máximo que puedas y tendrás una póliza más económica con la misma cobertura.

Depósito asministrado (Escrow)

Estos últimos costos, los impuestos sobre la propiedad y el seguro de propiedad es lo que se conoce como "*escrow*" [fideicomiso] en tu pago de casa. El "*escrow*" es una manera de ayudar al deudor a pagar por sus impuestos y seguro. El banco sabe que, si no lo incluye en el pago, la gente no tiene la disciplina de ahorrar el dinero para pagar sus impuestos una vez al año. Aunque los gobiernos locales te dan otras opciones de pago, normalmente el impuesto sobre la propiedad se paga anualmente. El banco muy inteligentemente incluyó eso en el pago mensual. Como mencioné antes, el gobierno te quita la propiedad si no pagas los impuestos y eso no le conviene al banco. Si fuera necesario, el banco paga los impuestos, pero no van a perder la propiedad. No creas que el banco va a pagar los impuestos por ti. Para cuando eso suceda, ellos ya te embargaron la casa. Una de tus responsabilidades como deudor es pagar los impuestos y si no cumples, te obligan; y si aun así no cumples, te embargan. Lo mismo sucede con el seguro, si no hay prueba de cobertura, el banco te dice que lo compres y si no ellos lo hacen y te lo cobran. Te lo prometo: ellos no van a buscar la póliza más económica, lo que significa que es más barato que la compres tú. El *escrow* es lo que hace que varíe el pago de una casa que tiene un interés fijo. Si suben los impuestos y el seguro, tu pago de casa va a subir. Cuando llegas con un enganche del 20% tienes la opción de decirle al banco que tomas la responsabilidad de pagar por los impuestos y el seguro por tu cuenta. Esto significa que tienes que tener la disciplina de incluir en tu presupuesto estas dos categorías para estar listo cuando llegue el cobro. Si ya lo tienes incluido en tu pago, pero quisieras pagarlo por tu cuenta, tienes que llegar a tener 20% de equidad (valor positivo) en tu hipoteca y pedirles que cambien eso. Hay que llenar algunas formas para que ellos te suelten esa responsabilidad.

PMI - Seguro privado hipotecario (Private mortgage insurance)

Otro seguro que puede estar presente en tu pago es lo que se conoce como seguro de hipoteca. En inglés le llaman *"PMI private mortgage insurance"* [seguro privado hipotecario], o también conocido como *"mortgage insurance"* [seguro de hipoteca]. Es un seguro que está presente en muchas hipotecas cuando el comprador no llega con un enganche del 20%. Dije muchas, porque hay hipotecas que no cobran este seguro o se vuelven creativas y estructuran la hipoteca de cierta manera y no lo cobran. El banco te obliga a pagar este seguro para la protección de ellos en caso de incumplimiento de pago. Si por cualquier razón dejas de enviar los pagos, ellos no pierden y, de todos modos, te embargan la casa. Se me

Prestar dinero a gente que no tiene capacidad de pago —aunque sea para una casa—, representa un riesgo gigantesco.

hace aprovechado que ellos nos obliguen a pagar por un seguro que los protege a ellos. Normalmente el que se quiere proteger es el que paga el seguro. Este es un ejemplo que el que da prestado, es el que pone todas las reglas. Ya que llegas a un valor positivo de un 20%, puedes pedirle al banco que te quiten el seguro de hipoteca. Cada banco tiene sus reglas, pero la mayoría lo hace cuando llegas a ese 20%. Por ejemplo, si compraste una casa de $100,000 y diste un enganche de 5% y debes $95,000, vas a pagar por ese seguro. Ya que la deuda llega a $80,000 (20% de valor positivo) entonces puedes hablar con el banco para que te retiren ese seguro. Del 2013 para acá, cambiaron algunas reglas y ahora hay hipotecas que, según el enganche, puede ser que no te lo quiten aunque llegues al 20% de equidad. En caso que tengas una hipoteca que no te lo quita después de llegar a un valor de equidad (*equity*, en inglés) del 20%, tendrías que refinanciar la hipoteca para tener una que no exija ese seguro. Lo malo es que tienes que volver a aplicar como lo hiciste con tu hipoteca; y lo peor es que tienes que volver a pagar los costos que conlleva una hipoteca. Por eso tiene sentido ser paciente y juntar un buen enganche para no pagar por este seguro y evitar los costos de refinanciamiento para quitártelo. El costo de este seguro puede variar entre 0.5% a 1% de la cantidad prestada. Eso significa de $500 a $1,000 por año, pero se te cobra mensualmente, lo que significa que en tu pago de casa verás esto como entre $42 y $83 dólares mensuales por cada $100,000 financiados. Le eché un ojo a varias hipotecas y estoy viendo que hoy en día eso anda como por $75 por mes en una hipoteca de $100,000.

Ejemplo de un pago típico que no incluye otras coberturas de riesgo

PAGO TÍPICO DE HIPOTECA

$100,000 a 30 años al 5% de interés

● P&I (Principal e interés)	$536.82
● Escrow	
Impuestos de propiedad	$166.67
Seguro de propiedad	$ 79.33
● PMI (Seguro de hipoteca)	$ 74.45
Pago total mensual	**$857.27**

En una hipoteca a interés fijo, también llamada tasa fija, el pago que va hacia el banco —que es el P&I— no sube, pero todo lo demás sí puede variar y eso hace que tu pago cambie.

Otros riesgos

Inundación

Si tu casa está en una zona de inundación, este tipo de cobertura no la protege. En ese caso, tienes que comprar otra póliza para protegerte de ese riesgo y se llama: seguros contra inundación. En inglés se conoce como "flood insurance". Si tu casa está en una zona así, en ingles se diría que tu casa está en una "flood zone". De todas maneras, si estás comprando con una hipoteca a través de un banco, el banco te obligara a comprar este tipo de cobertura. Ellos te dan muy poco tiempo para que les compruebes que ya la tienes; y si no lo haces, ellos la compran y te aumentan el pago para cubrir el gasto de ese seguro. Ya que tengas tu casa pagada, queda a tu discreción mantener este tipo de cobertura. Mi recomendación: protege tu inversión, compra el seguro. Ahora bien, ese tipo de cobertura se vende en zonas de inundación; sin embargo, hay otro tipo de riesgo que puede requerir una cobertura individual y es la de protegerte de huracanes. Hay áreas que tienen un riesgo tan alto de huracanes que las aseguradoras ya ni te las venden y tienes que comprárselo al gobierno.

Hundimiento

Si tu casa está en una zona de tierra suave o donde hay asentamiento con frecuencia, también necesitas un seguro contra eso. En inglés le llaman "*sinkhole*" [hundimiento], que significa que la tierra se puede mover debajo de tu casa y causar un tremendo hoyo o cráter y tu casa se puede ir al fondo. Normalmente, el seguro de propiedad tampoco protege contra este riesgo. Si tu casa está en una zona de este tipo, también necesitas un seguro para eso. Este caso sería igual a los otros seguros si compras con una hipoteca. El banco te va a obligar a tenerlo. Este tipo de cobertura es muy común en ciertas áreas de la Florida y otros estados donde suceden cosas así.

Como puedes ver, esto eleva tu pago mensual y los seguros no tienen precio fijo, sino que están continuamente subiendo y, aunque tengas una hipoteca a interés fijo, los seguros hacen que tu pago varíe. Por "variación" me refiero a que suba, pues es muy raro que los seguros bajen. Hay áreas donde solo necesitas el seguro de propiedad, pero hay otras áreas donde podrías necesitar todos estos seguros. ¡Cuidado! Porque hay propiedades que aparentan ser muy económicas, pero podrían ser como hoyos en tu cartera: van a drenar tu dinero por siempre.

La sorpresa de los servicios

Aparte del pago al banco, los impuestos y el o los seguros, una casa tiene costos de servicios más altos. Estoy hablando de la luz, el gas, el agua; casi siempre se duplican. Un apartamento puede estar rodeado de otros apartamentos, lo que significa que el sol y el frío no lo rodean completamente; sin embargo, la casa tiende a ser mucho más grande que un departamento y está completamente expuesta; lo que hace que el consumo de energía sea mucho mayor. Tal vez en tu apartamento ibas a una lavandería a lavar tu ropa y ahora tienes una lavadora y secadora en casa que también te aumentan el consumo de luz o de gas y de agua. Si tienes jardín, hay que regarlo y eso también incrementa el costo del agua. Además, una casa necesita mantenimiento exterior como jardinería, pintura, cerca, gastos que no tienes en un apartamento. Ni siquiera estoy sugiriendo que contrates a alguien para que te corte el césped, pero vas a necesitar una podadora, una pala y un machete. Todavía no termino, de vez en cuando, al jardín hay que echarle fertilizante o fumigar si tienes plagas. Muchas veces, hasta el cable es más caro porque en los departamentos había un descuento para todas las familias que vivían allí, porque negociaron un mejor precio. Ya estás advertido y te aseguro que todos los que tienen casa en este momento están pensando: "Sí, Andrés, diles, porque a mí nadie me dijo todo eso y ni te imaginas las que hemos pasado". Vivir en una casa siempre es más caro que rentar un departamento. No me malinterpretes, mi meta no es desanimarte, sino darte una perspectiva real sobre el incremento de gastos que tendrás con tu casa. Ahora bien, las ventajas ya las conoces, empiezas a construir un patrimonio, la hermosa sensación de poder decir "esta es nuestra casa"; y por supuesto la privacidad. Ya dejas de referirte al vecino de arriba como "el elefante" por lo fuerte que suenan sus pasos; o a la vecina de al lado como "la megáfono" porque escuchas claramente todo lo que dice. Con tu casa dejas de tener vecinos por todos lados. Y, claro está, uno no puede ni pelear a gusto con su pareja por miedo a que escuchen.

Cuando te cambias de ciudad

Otro error que cometen muchos que se mudan a otra ciudad es comprar inmediatamente. Te recomiendo que, por lo menos, renten durante un año. No tienes ni idea de si te va a gustar tu nuevo trabajo. Si compras una casa ahora, estarás amarrado a esa casa; ¿y qué tal si el trabajo no es lo que esperabas? Por lo menos, se toma un año para entender las líneas invisibles que existen en mundo de los bienes y raíces. Alguien que tiene años viviendo allí te puede decir que de aquel lado de las vías del tren es el barrio bueno y las casas se venden; pero nadie quiere vivir en el otro lado y te toca una escuela que no es buena. Puede ser que en este barrio tu inversión tenga plusvalía, pero allá, no. Renta por un año y después compra. Calma.

La casa: ¿Es buena inversión o no?

A largo plazo, tiene sentido comprar una casa porque las propiedades tienen plusvalía. Este crecimiento en valor no es tan impresionante como muchos creen. Lo que sucede es que dicen: "Mi papá compró esta casa; por tanto, y hoy (50 años después), vale tanto". "¡Ah! Qué buena inversión", pero si calculas el rendimiento, te darás cuenta que no fue tan bueno. Unos expertos dicen que comprar casa no es una buena inversión. Esos expertos tienden a ver todo en su calculadora y dicen que, si la gente pusiera ese dinero en una cuenta de inversión, terminarían con mucho más. Eso es verdad, pero se les olvida agregar los riesgos de la vida como perder el empleo o un problema de salud. Si para cuando eso sucede, tú ya tienes tu casa pagada, ¿te imaginas qué diferente sería sin pago de casa? ¿Sin el temor de que te echen en los momentos más difíciles? ¿Te imaginas, en la jubilación, alquilando vivienda cuando las rentas suben casi todos los años? Cuando uno agrega este tipo de situaciones, comprar una casa tiene mucho sentido. Los expertos dicen que la casa no es una buena inversión, pero no mencionan que no comprarla significa rentar toda tu vida. Ya que la familia promedio no acumula casi nada en ahorros, la casa es el activo más fuerte. Aunque compres la casa con una hipoteca, a largo plazo es sabio porque con el tiempo la terminas de pagar y puedes tomar lo que sería el pago de la casa e invertir más para tu futuro o la educación de tus hijos y más diversión. Lo mejor es que si tienes tu casa pagada estarás en mejor posición para jubilarte cuando sea el momento, ya que no tendrás que preocuparte por ese pago. Si no tienes pago de casa, es posible que te rinda la pensión de la *inseguridad* social —perdón— el Seguro Social.

> **La mejor hipoteca es la que no tienes.**

Comprar casa a corto plazo no tiene sentido. Hay un término para las casas que tienes que vender aceleradamente, *barata*. Por la razón que sea, es muy probable que pierdas dinero o que no ganes nada si tienes que vender en un período menor a 5 años. La excepción es con un inversionista de bienes raíces. Hay profesionales en esto que logran comprar la casa o propiedad muy, pero muy barata; le hacen unos arreglos y la venden con ganancia. Esto no es tan fácil como suena. A principios y mediados de la última década, el incremento del valor de las casas era ridículo. Parecía como que nadie podía perder con este tipo de inversión. Hasta surgieron programas de televisión (y todavía existen) donde veías cómo compraban la casa, la arreglaban y la vendían con ganancia. Por supuesto, no te enseñan en las que no ganaron. Este negocio de propiedades y corredores, especialmente cuando lo haces con dinero prestado, es muy peligroso porque no estamos hablando de pequeños errores. Un error de esos puede costarte miles de dólares. Una vez más, mi propósito no es desanimarte sino prender el foco amarillo de advertencia y decirte, camina despacio y piensa bien antes de comprar o antes de empezar a invertir en bienes raíces.

Propiedades como inversión

Te recomiendo que —si estás empezando a vivir bajo un plan financiero—, te olvides de las inversiones en bienes raíces por un tiempo. Empieza a invertir en tus cuentas de jubilación y acumula ahorros; tal vez más tarde te llama la atención invertir en efectivo. Junta un buen patrimonio antes de entrarle al mercado inmobiliario. Este negocio es para los que tienen billete. Si todavía te queman las ansias por entrarle a esto, aprende de un experto. Conoce uno o dos e invítalos a un café para que te enseñen. Ofrécete como su secretario voluntario durante unos meses para aprender de ellos. Si te aceptan, sería poquito el costo de esa escuela, aunque no te paguen. Lo que te podría tomar años y mucho dinero en topes en la cabeza, lo puedas absorber de ellos en unos meses. Haz muchas preguntas y deja que ellos hablen más que tú.

Tu primera inversión en bienes raíces debe ser tu casa. Si sigues el plan financiero en el Pasito #6 empiezas a atacar la deuda más rápido, no antes. No te brinques los Pasitos 4 y 5, vete en orden. Después de estar libre de deuda y que tengas un fondo de emergencia de 3 a 6 meses de tus gastos mensuales, entonces estarás listo para comprar. Por encima del fondo de emergencia, empieza a acumular ahorros para el enganche. En la próxima sección voy a entrar más en detalle, pero mi punto aquí es cuándo debes prepararte para entrarle a la inversión de tu casa y cuándo debes empezar a pagarla más rápido. La casa se debe comprar entre el Pasito 3 (fondo de emergencia de 3 a 6 meses de tus gastos mensuales) y el Pasito 4 (invertir para la jubilación). Entre estos dos pasitos acumula rápido el enganche y compra tu casa. Ya en la casa, brincan al Pasito 4 (invertir para la jubilación) y al Pasito 5 (fondo universitario). Si por encima de eso tienes algo más, ese dinero va para acelerar el pago de la casa que es el Pasito #6. Todo, por encima de los Pasitos 4 y 5, va contra la deuda de la casa. Las personas que siguen este plan financiero terminan con su casa en un promedio de 7 años. Una casa pagada es una tremenda inversión porque aparte de la paz, no tener que pagar esa mensualidad, te permite que puedas pagar por la universidad de tus hijos, si no te preparaste antes. Estar sin deuda de casa, te permite invertir más, también te permite disfrutar más y ser más generoso. Agrégale eso a la balanza. Comprar una casa y pagarla es una excelente inversión; así que adelante, prepárate y has tu sueño una realidad.

Cuánto dinero debes invertir en comprar una casa

¿Te imaginas nadar con un ancla al cuello? Eso es exactamente lo que sucede cuando uno compra casa demás. Uno de los errores financieros más grandes que comete una persona o una familia es dejarse llevar por la cultura, la industria y tu corazoncito que te dicen: "no vamos a caber", "necesitamos más espacio", "compremos en esta otra área", "qué va a pensar la gente si no tenemos 5 recamaras", "solo son $500 más por mes", etc., etc., etc. ¿Quién no quiere todo eso? No estoy en contra de eso si realmente puedes pagarlo; estoy en contra de que tomes una decisión tan seria que puede hundirte (como nadar con un ancla) sin pensar o sin saber qué está bien y qué no. Ni siquiera tengo que decirte que es fácil comprar casa de más porque te lleva la corriente y si no lo piensas bien, terminas con más de lo que puedes masticar. Entender que compraste casa demás significa que activaste tu mente para decir "compré casa demás", lo que significa que también pensaste "qué es lo que está bajo nuestras posibilidades". Te sientas con un corredor o con un banquero y te dicen: "usted califica para un préstamo de hasta $200,000". Es tan fácil dejarte llevar por esta corriente y decir: "busquemos una casa de $200,000".

Las consecuencias de no prender el cerebro y hacer cálculos son desastrosas. En Estados Unidos hubo préstamos que ponían a una familia con un pago de casa de hasta el 60% de sus ingresos mensuales netos. Imagínate una familia que gana $3,000 mensuales, con un pago de casa de $1,800. Imagínate una familia que gana $2,000 con un pago de casa de $1,200. Me pregunto, qué pasó por la mente de esa persona cuando vio los papeles finales, con ese pago frente a ellos en números rojos. "$1,200 de pago y ganamos $2,000, no va a ser fácil; pero es nuestro sueño y si nos apretamos la tripa sí la hacemos. Antes pagábamos $800 de renta y la pudimos pagar, solo son $400 más, finalmente tendremos nuestra casa"; y firman su sentencia —perdón— esos papeles.

En Estados Unidos es común que te permitan endeudarte hasta por un 38% de tu ingreso mensual bruto. Por ejemplo, si tu ingreso es de $2,000 antes de que te quiten impuestos y todo lo demás, ellos dicen: "puede soportar pagos mensuales de $760". Entonces, después de que te quitan impuestos, etc. terminas con un sueldo mensual neto de $1,640. Si tú ya tienes un pago de carro por $360 mensuales entonces el banco te daría un préstamo con un pago hasta de $400 mensuales. Entre el pago del carro y el nuevo pago de la casa suman esos $760 que es el pago mensual máximo que te pondrían. A ese porcentaje que prestan le llaman en inglés *debt to income ratio* que es porcentaje de deuda en relación a tus ingresos. En este caso, estamos hablando de que el máximo porcentaje de deuda en relación a tu ingreso es 38%. Los bancos asumen que mientras la gente no se pase de ese 38%, puede hacer sus pagos porque le sobra un 62% para vivir. Tengo suficiente experiencia con familias en este campo de las finanzas y he aprendido que llegar hasta el tope que los bancos permiten, es nadar con un ancla atada al cuello. Asumiendo que eres bueno para administrarte, si te pones hasta esa cantidad y logras hacer tus pagos, no tendrás para nada más. Vivirás para hacer pagos mensuales y será muy difícil invertir para la jubilación, será muy difícil ir de vacaciones y vas a pensar mucho hasta para ir a un restaurante, aunque se te haga agua la boca. Es un movimiento falso y tienes el agua hasta las narices.

¿Así que cuánto puedes gastar en comprar una casa? Si compras una casa de 1.5 hasta 2 veces tu ingreso anual, es saludable. Por ejemplo, si ganas $50,000 por año compras una casa entre $75,000 y $100,000. Otra manera de tener parámetros saludables, es que el pago de tu casa no sea más de un 25% de tus ingresos mensuales netos en una hipoteca a no más de 15 años. El 25% de tus ingresos mensuales netos sería el tope que yo recomendaría como pago mensual. No estoy diciendo ponte hasta un 25%. Dije que ese es el tope, pero mientras menor sea tu pago, mejor. Si tu pago de casa no supera el 25% de tus ingresos mensuales netos, tendrás el dinero para invertir para la jubilación, fondo universitario de tus hijos, para ir de vacaciones y para no andar batallando para llenar el tanque de gasolina. Entiendo que hasta la gente que renta apartamentos es mejor que los bancos. Hasta la gente que renta apartamentos entiende esto mejor que los bancos. Para rentar un apartamento tienes que demostrar que ganas por lo menos tres veces la renta mensual. Tener el costo de vivienda— en este caso, renta— al 33% es mejor, aunque sigue siendo alto. Cuando alguien me llama y tiene problemas económicos, les pregunto, ¿cuánto ganan? Si me dicen $2,000, inmediatamente después, pregunto por el pago de la casa o renta. Si el pago de su vivienda es mayor del 25%, sus problemas económicos muchas veces no son por falta de administración, son problemas de ancla. Si ganan eso y el pago de la renta son $900, antes de preguntarles si hay deudas o si tienen un presupuesto les digo, ¿cómo sería tu vida si el pago de tu vivienda fuera de $500 mensuales? Ya se imaginan cuál es la respuesta, "Ahhhhhh... todo sería muy diferente". Esto no es para limitarte, esto es para darte descanso y sentirte financieramente liviano.

"¿Pero, Andrés, donde yo vivo no hay casas de $100,000? Las casas más económicas valen $200,000 y una, más o menos, para nuestra familia vale $250,000". Entiendo, pero al salirte de estos parámetros, te pones el ancla en el cuello. Yo le llamo a esos parámetros, *sentido común* que, dicho sea de paso, es el menos común de los sentidos. Los parámetros de sentido común no cambian solo porque tú vives en un área cara. Si vives en un área cara, tu alternativa es esperarte y ganar más o mudarte a otro lugar no tan caro. La gente que ha ido en contra de esta recomendación están *"house poor"* un término en inglés que significa "pobre por tanta casa", es decir, que la casa lo tiene en la pobreza. Los bancos han sido creativos en maquilar diferentes hipotecas como la de 40 años, la de 50, y hasta la de "*interest only*" (solo pagas los intereses) para reducir el pago mensual y que una familia pueda comprar una casa totalmente fuera de sus posibilidades. Que te pongan la mensualidad donde la puedas pagar, no significa que hayas sido sabio; significa que vas a pagar muchos intereses y la casa te va a costar 3, 4 y hasta 5 veces más. En el 80% del país hay muchas casas de $100,000 y menos. Es muy probable que ganes lo mismo allí, de lo que ganas donde estás hoy. Esto aplica para todos los países, no importa dónde vivas. Estas recomendaciones no solo son para la gente en Estados Unidos, sino que aplica donde quiera que estés leyendo este libro.

¿Cuál es la mejor hipoteca?

"Entre más brilla el sol, más se siente la sombra de la hipoteca".

La hipoteca es como un ogro que se mantiene dormido mientras pagues a tiempo; pero en el momento en que te retrases, se despierta y empieza a bufar: "Quiero mi dinero, quiero mi dinero y, si no me pagas, te saco de mi casa". Mi meta no es asustarte, pero mientras tengas una hipoteca, tu casa está en riesgo. Uno firma papeles y te dicen "tu casa", "tu casa, y "tu casa", pero si dejas de pagar, te das cuenta quién es el verdadero dueño. La mejor hipoteca es la que no tienes.

La casa es una bendición para los que están estables antes de comprar; y compran dentro de esos parámetros de sentido común. Una casa en manos de una familia en la quiebra es una mortificación. Una pregunta que me hacen constantemente es, "Andrés, ¿cuánto enganche debo dar?". Sin duda alguna, mi respuesta siempre es el 100%. Traga saliva y digiere bien eso. Típicamente escucho risas o un respiro que dice: "Por favor, bájate de esa nube y párate en la realidad. Yo soy una persona normal, si tuviera todo ese dinero no te estaría hablando". Yo lo veo más como cuando dicen: "Tengo un problemón porque quiero comprar algo para lo cual no tengo el dinero y necesito que el banco me preste miles y miles de dólares para poder tener un nidito de amor". "Es imposible crear un nido de amor si rento así que por favor ayúdame a convertirme en un esclavo bancario". Sí es posible juntar un enganche del 100% y comprarla en efectivo porque ya otras familias lo han logrado. No serás el primero ni el último en lograr esto. Si la casa cuesta $80,000 dólares, y tú ganas $30,000, tu esposa gana $20,000, viven con tu sueldo y ahorran el sueldo de tu esposa; en cuatro años pueden comprar esa casa en efectivo. Esto no es una exageración, es un sacrificio por un período corto, y vale la

> Una casa en manos de una familia en la quiebra no es una bendición es una mortificación.

pena. Como decía doña Blanca: "mejor de un solo y no por sustos". Ese es un mejor plan que pagarla a 30 años. Pagarla 2 y 3 veces a 30 años suena a muchísimo sacrificio, piénsalo. Renta muy económico con la meta de comprar tu casa sin el riesgo de la hipoteca. Aparte, te ahorras muchísimo dinero en los costos de cierre de la hipoteca y lo que pagarías en intereses.

Juntar un enganche del 100% significa que nunca tendrás al ogro respirando en tus oídos. El plan del enganche del 100% es mi favorito, pero no estoy en contra de que compres con una hipoteca. Si te vas a hipotecar, pon el mayor enganche posible. Por ejemplo, qué tal si en una casa de $80,000 das $30,000 de enganche y financias los otros $50,000 como si fuera un carro de lujo a 5 años. La meta no es tener un pago bajito, la meta es *no* tener pago. Yo recomiendo que juntes como mínimo el 10% de enganche, aunque el 20% es mucho mejor porque te evitas pagar seguro por la hipoteca (PMI) como mencioné antes y, aparte, es mucho más probable que califiques y te ofrezcan mejores tasas de interés. Hay hipotecas que te permiten entrar con el 3%, te dan el crédito por mucho tiempo, hasta más de 30 años, y hasta sin enganche; sin embargo, mi consejo es: "Cuidado". Una persona que no tiene nada para el enganche, la mayoría de las veces, está en quiebra. Una casa en manos de una persona en quiebra es una mortificación. Ya dejamos eso claro, y como decía Cantinflas: "ya se los dije y se los vuelvo a repetir otra vez de nuevo", antes de comprar hay que estar sin deudas y contar con un fondo de emergencias de 3 a 6 meses de tus gastos mensuales. Después de estar en esa posición, ahorras para el enganche. Juntar un enganche del 10% o, preferiblemente, del 20% es una manera de comprobarse a sí mismos que tienen control sobre el dinero.

¿Cómo califico para una hipoteca?

Ingresos

El banco se dedica a dar préstamos, ese es su negocio. Ellos quieren prestar dinero para compra de casas; lo que no quieren es embargar casas. Así que su objetivo es encontrar clientes que comprueben que pueden pagar a tiempo. El banco busca varias cosas. Una, es que puedas comprobar tus ingresos con declaraciones de impuestos; el único ingreso que cuenta para ellos es el que pueden ver en tu declaración de impuestos. Lo que te pagan en efectivo, aunque lo deposites en el banco, no cuenta. El ingreso declarado es el que ellos utilizan para ver tu *debt to income ratio*" (cantidad de deuda en relación a tus ingresos) y calcular cuánto puedes pagar mensualmente; con esa información, te dicen la cantidad que te pueden prestar. Este, tal vez, sea el requisito principal. Tú puedes tener buen crédito, pero si no puedes comprobar tus ingresos, no te dan el préstamo. Hubo una época en que prestaron sin comprobar ingresos y fue un desastre. Esa fue una de las causas de la recesión en el 2008. Otro requisito es el enganche. Si el enganche es del 20% es muy probable que te aprueben porque tu préstamo sería considerado "de bajo riesgo". La razón por la que los bancos prefieren un enganche del 20% es porque saben que la persona que lo tiene no va a dejar de pagar ni a perder la casa porque perdería mucho dinero. Repito, a ellos no les gusta quitar casas, lo hacen solo cuando la gente no es responsable. El embargo es resultado de la falta de pago, es decir, de que tú cumplas con lo prometido. Ese no es negocio para el banco ni se divierten haciéndolo. Es una medida legal para proteger su inversión. Hay personas que se enojan con el banco cuando embargan su casa, pero deberían enojarse con ellos mismos por no cumplir con el compromiso; el banco no tiene la culpa. Nadie te puso una pistola en la cabeza, tú firmaste, te comprometiste a pagar y no cumpliste. Allí decía muy claro que, si no pagabas, te iban a quitar la casa.

Estabilidad

Otro requisito es que tengas cierta estabilidad antes de firmar el préstamo. El banco quiere ver que, por lo menos, tengas ahorrados tres meses del pago de la hipoteca. Algunos bancos quieren ver tres meses de tus gastos mensuales en ahorros. Cuando se acerque la fecha del cierre, si ellos no pueden ver que tienes ese dinero, no te aprueban el préstamo. Tampoco lo puedes pedir prestado y que un día aparezca el dinero en la cuenta. Ellos te van a pedir tus estados de cuenta bancarios y, si alguien te prestó el dinero, no lo van a aceptar porque saben que tienes que devolverlo. Es triste cuando las personas avanzan en el préstamo y empiezan a pagar por los requisitos y trámites de una hipoteca y al final no les dan el préstamo por no tener esa cantidad en ahorros.

Historial crediticio

El último requisito del que quiero hablar es el crédito. La mayoría de los bancos quieren ver tu crédito y, en algunos casos, si no tienes historial de crédito, no te dan el préstamo. El banco comprueba que eres responsable a través del crédito. Puedes llegar al banco cumpliendo todos los otros requisitos, pero si tienes mal crédito— un bajo puntaje— no te prestan. Mucha gente que se ha dedicado a construir crédito tiene mal crédito. El jueguito de los pagos es peligroso, cualquier cosa que falle, como: te retrasas en un pago, pierdes tus ingresos, le reducen las horas de trabajo a tu esposa, afecta tu crédito negativamente. Esta es otra razón por la que recomiendo no meterse en deudas. Tarde o temprano, fallas en algo y ahora tienes que lidiar primero con esas deudas retrasadas para después calificar para la hipoteca. Si has tenido algún tipo de deuda, revisa tu crédito antes de aplicar para una hipoteca. En Estados Unidos lo ideal es tener un puntaje arriba de 700 para calificar para los mejores intereses. Si tu crédito está por debajo de eso, es probable que tengas deudas sin pagar y es tiempo de confrontar esos monstruos y destruirlos. Después de pagar esas deudas retrasadas, al poco tiempo sube tu crédito y puedes estar listo para aplicar.

Si no tienes historial crediticio

Para los que no han pedido prestado, hay bancos que todavía averiguan la situación de la persona para ver si es digna del crédito o no. Actualmente, el puntaje de crédito es una manera de acelerar y saber si pagas a tiempo. En el pasado, los bancos revisaban si pagabas la renta, los servicios de la casa y otros pagos a tiempo, y hay bancos que aún lo hacen, aunque son pocos. A esto le llaman *manual underwriting* lo que significa investigación manual en vez de acelerarlo viendo tu puntaje de crédito. Estos bancos usan lo que se llama "crédito alterno" y te piden que les lleves tus saldos bancarios para ver si pagas tu renta y tus servicios a tiempo. Si no puedes comprobar que pagas tu renta a tiempo, no te darán el préstamo. Aquí, la recomendación es que pagues tu renta con cheque para que quede registrado en tus estados de cuenta bancarios. Los recibos de pago de renta no son suficientes, ellos tienen que verificar que esos pagos salen de tu cuenta y que no compraste un block de recibos y los llenaste tú. También paga con cheque o de forma electrónica tus servicios como la luz, agua, gas, celular, internet para poder verlo en tu estado bancario y no te retrases. Esto será clave si no tienes un historial crediticio.

Tipos de hipoteca

Hipoteca FHA

En Estados Unidos hay diferentes tipos de hipotecas. Una se llama FHA y es para compradores de casa por primera vez. Estas permiten entrar con un enganche tan bajo como el 3% y son aseguradas por el gobierno. Hay que comparar intereses y costos internos, pero en mi experiencia, estos préstamos son más caros que la hipoteca convencional con un enganche del 20%.

Hipoteca VA

Están las hipotecas VA que son administradas por el departamento para los veteranos de guerra. Con estas, un comprador puede entrar a la casa sin enganche, pero obliga al vendedor a poner más dinero hacia los costos de cierre. Estas son para veteranos de guerra y son administradas y aseguradas por el departamento de veteranos (VA). Sin embargo, de todas las opciones, la mejor es una hipoteca convencional con un buen enganche. Esta es la que más te recomiendo porque un buen enganche evita el pago del PMI.

Hipoteca sub-prime

Por último, están las hipotecas *sub-prime* que están diseñadas para gente que no tiene dinero. Estas son las que permitían a una familia entrar sin enganche y sin comprobar ingresos. En una de esta clase, hasta te daban dinero a la hora del cierre para ponerle un refrigerador y muebles nuevos a la casa. Estas fueron las hipotecas que pusieron de rodillas a este país. Escúchenme, no compren casa si están en quiebra.

Hipoteca convencional

Tiene sentido que el asesor te muestre sus opciones. Escucha y compara. Sin embargo, mi recomendación es que te inclines por la hipoteca convencional, a interés fijo, a no más de 15 años plazo, con un enganche del 20%, donde tu pago no sea mayor a un 25% de tus ingresos. En mi experiencia, estos detalles son los que evitan que la casa te hunda como un ancla.

Costos de hipoteca

Cuando aplicas para una hipoteca, empiezan los gastos. Después de que el prestamista ve que sí hay una verdadera posibilidad de calificar para la hipoteca, el banco quiere saber toda la información sobre la casa por la que van a prestar dinero.

Avalúo (Appraisal)

Van a mandar hacer un avalúo profesional y esto cuesta entre $250 y $450 dependiendo de la propiedad. El banco hace esto para verificar que no están prestando más dinero del que vale la casa. Ellos quieren estar bien seguros y contratan a un profesional, claro está, ese profesional que ellos contratan lo pagas tú.

Inspección (Home Inspection)

También se van a asegurar que la casa está en buenas condiciones; así que mandan a hacer una inspección. Se contrata a un profesional que verá todo en la casa excepto dentro de las paredes. Esta inspección cuesta alrededor de $450 dólares —que tú pagas— y se inspecciona la fundición, el techo, aislamiento, plomería, alambrado eléctrico, ventanas, abanicos, chapas, pisos, estufa, etc. Después de la inspección entras en una negociación seria con el vendedor sobre lo que se encontró y quién se responsabilizará por las reparaciones.

Inspección de termitas

El banco también pedirá una inspección de termitas, que es mucho más rápido y cuesta alrededor de $100.

Certificado de terreno (Land Survey)

El banco también mandará a pedir una certificación del terreno que es para verificar y tener un plano de cuál es el perímetro de la propiedad que se está comprando. Aquí puedes esperar un costo de $350 a $500. Si la casa es más vieja y no está en una subdivisión con casas cercadas, te puede costar hasta $1,000. Si al final, por la razón que sea, no se compra la casa, tú pierdes todo el dinero que pagaste porque el banco no te lo va a devolver.

Seguro de título de propiedad (Title Insurance)

Otro costo significativo entre los gastos para obtener una hipoteca es el seguro para el título de la propiedad. Este es para asegurarte de que te entreguen un título limpio y en un futuro no tengas problemas para vender. Estos seguros típicamente cuestan desde .05% hasta 3% sobre el valor de la propiedad. Para ponerlo en moneda dura, un costo promedio sería $1,000; sin embargo, en ciertos estados te puede costar hasta más de $3,000. Esto suena como un truco, pero los problemas de título sí existen. Una vez más, ya que el banco realmente es el dueño hasta que la terminas de pagar, te obligan a comprar este seguro por la seguridad de ellos. Mi recomendación es que, aunque pagues en efectivo y ya no hay presión bancaria, de todas maneras, compra este seguro. El resto de los gastos de una hipoteca son administrativos y de comisiones, aunque no les llaman así. Muy importante, no tengas miedo de hacer preguntas. Pídele a quien te esté ayudando con esto que te explique y no dejes el tema si no lo has entendido claramente. No firmes si tienes dudas.

¿Qué plazo de hipoteca me conviene más?

COMPARACIÓN DE HIPOTECA DE 15 AÑOS CONTRA 30 AÑOS

Hipoteca de $100,000

Plazo	Interés	Pago mensual	Total pagado
30 años	5%	$537	$193,256*
15 años	4%**	$740	$133,144
Diferencia		$203	$60,112 (de ahorro)

*En la de 30 casi pagas la casa dos veces
**Entre menor el plazo menor el interés

¡Y te ahorras 15 años de esclavitud!

Sé que esta explicación habla por sí sola, pero yo no me puedo quedar callado. En Estados Unidos, la gran pero la gran mayoría compra su casa a 30 años y lo único que me imagino es que nadie les mostró esta gráfica. Hablas con un corredor o te sientas con una persona en el banco para conversar acerca de una hipoteca y te dan números basados en la hipoteca a 30 años. La razón es sencilla, allí es donde el pago queda más chiquito. Aparte, como muchos llegan sin dinero queriendo comprar una casa, los agentes de hipotecas saben que muchos no pueden con la de 15 años, aunque tenga mucho más sentido; entonces, ellos asumen que tú no puedes o no quieres pagar tanto y terminan dándote los valores de la de 30 años. Otra razón es que nadie piensa en la lógica de los números, todos quieren casa grande y pago chiquito; y la manera de comprar una casa más grande con lo que ganamos es extender el período del préstamo para reducir el pago mensual. Ahora veamos qué sucede después de unos años con estas hipotecas.

10 AÑOS DESPUÉS CON TU HIPOTECA INICIAL DE $100,000

Hipoteca de $100,000

Plazo	Has mandado	Has pagado de deuda	Deuda restante
30	**$64,440** ($537x12x10)	$18,856	$81,144
15	**$88,880** ($740x12x10)	$60,441	$39,559

Los primeros 10 años de una hipoteca de 30 años, es lo más pesado. Necesitas comprender bien esta gráfica. Si te das cuenta, los primeros 10 años casi como pagar renta, porque de todo el dinero que pagaste, la mayoría se pierde en intereses ya que la deuda se reduce muy poco. En los primeros 10 años, tú mandaste el 65% con lo que iniciaron de la deuda, pero solo la redujiste un 19%. "Andrés, hacer eso es una tontería". Sí, todos lo hacemos, y me incluyo porque las primeras dos hipotecas que tuve fueron de 30 años.

Este ejercicio aplica en cualquier país donde vidas, recuerda: compra a 15 años plazo. Busca en el internet una calculadora de hipotecas y juega las posibilidades. Aunque el pago sea un poco más alto, es una buena inversión poner tu hipoteca a no más de 15 años. En el ejemplo que les puse aquí, estamos hablando de $200 dólares adicionales por mes y te ahorras $60,000 en intereses.

Para que quede bien claro, entre menor sea el plazo de la hipoteca, menor será el costo total que pagarás por la casa. En otras palabras, aunque recomiendo como plazo máximo la de 15, la de 10 años es mejor negocio para tu cartera. La meta nunca debe ser tener un pago chiquito, la meta debe ser no tener pago y quitártelo lo antes posible. Un pago saludable es cuando no supera el 25% de tus ingresos mensuales netos. Lo que significa que una familia que gana $3,000 mensuales no tendría problema en pagar $740. Pagarla en 15 años es una buena inversión.

Precalificado vs Preaprobado

Cuando estés listo para comprar, y si no vas a dar un enganche del 100%, vas a necesitar una hipoteca. Ve al banco o agencia hipotecaria para empezar los trámites antes de hablar con un corredor de bienes raíces. Ellos te pueden precalificar o preaprobar. Estar precalificado es cuando te preguntan por tus ingresos, gastos, deudas, etc., y te dicen rapidito que, según esa información, ellos te precalifican para una hipoteca de hasta cierta cantidad. Muchos creen que ya están listos para comprar cuando les dicen eso. Estar preaprobado es cuando te piden documentos, como: declaraciones de impuestos, estados de cuenta bancarios, talones de cheques, copias de identificaciones y les firmas papeles para revisar tu crédito y empezar el proceso de aprobación para compra. Esto se puede tomar semanas, pero ya que tengas una carta de "pre-approved" como le dicen en inglés, es cuando realmente estás listo para comprar. Muchas veces, al hacer una oferta por una casa, vas a competir con otros que también quieren comprarla; pero al estar preaprobado tu oferta es mucho más sólida que la de los demás porque no tienen que esperar la aprobación. Tu oferta dice "Esta es la cantidad que ofrezco y estoy listo para cerrar en 10 días, tengo todos mis papeles en orden y aquí está mi carta que indica que el banco está listo para mandar un cheque, solo dime a quién y a dónde lo enviamos". Si tú estás vendiendo una casa y alguien te manda una oferta con una carta de precalificación, eso no significa nada. Esa persona puede no haber pagado una factura de celular hace 10 meses y, por eso, no califica para el préstamo. Mi recomendación es que no metas ofertas de compra hasta estar preaprobado.

Págala más rápido

¿Qué podrías hacer con tu casa pagada? ¿Cuánto podrías disfrutar? ¿Cuánto podrías ahorrar, invertir? ¿Cuánto podrías dar? Es tan rico ver un mapa ampliarse y decir: "¿Ven este terrenito, aquí, con esa casa? Eso nos pertenece". La sensación de ser propietario es algo muy especial; sin embargo, ese anhelo está en riesgo mientras tengas una hipoteca. Mientras la casa tenga una hipoteca, está en riesgo de perderse. En el Pasito #6 del plan financiero atacamos la hipoteca para terminar mucho antes de que llegue el plazo. Ya que estás libre de deudas, excepto la casa (Pasito #2), y tienes un fondo de emergencias completo de 3 a 6 meses de tus gastos mensuales (Pasito #3), entras a la etapa de acumulación de riqueza del plan financiero. En esta etapa, empezamos por el Pasito #4 (Invertir para la jubilación) y, por lo general, al mismo tiempo empezamos a invertir para el fondo universitario de nuestros hijos (Pasito #5), si aplica. Todo dinero, por encima de esos dos pasitos, va contra la hipoteca. Si viene un aumento de sueldo, ponlo contra la hipoteca; si venden algo, ponlo contra la hipoteca. La meta debe ser pagar tu casa en no más de 15 años y si son menos, mejor.

Si cuando empezaste, ya tenías una hipoteca a 30 años, tu meta en el Pasito #6 es empezar a pagarla en 15 años. Ya viste la gráfica entre la de 30 años y la de 15 años, así que esa debería ser tu meta. Hay muchas ventajas al terminar en 15 años. Antes que nada, logras disfrutar una buena parte de tu vida sin pagos de casa. Para mí, era triste ver gente en edad de jubilación todavía pagando la casa. El dinero rinde mucho más y tus gastos se reducen significativamente porque el pago de casa es, por lo general, el pago más alto que se tiene. Si tienes hijos pequeños, cuando ellos vayan a la universidad, y tienes la casa pagada, puedes utilizar para pagar por sus estudios ese dinero que liberas. Si empiezas con esto cuando tu hijo tiene dos años, para cuando él tenga 17 años o menos, la casa estará pagada. Muchas personas que siguen estos consejos terminan mucho antes de 15 años. Ya que pasaste del Pasito #3, le quitas el pie al acelerador y le inyectas más vida a tu presupuesto. En otras palabras, no dejes de llevar a tu esposa a un restaurante o de vacaciones con tal de abonar todo lo que puedan al préstamo de la casa. Ahora bien, tampoco te quedes sin dinero como para no mandar algo adicional contra la hipoteca. Por lo menos, manden suficiente para pagar tu hipoteca de 30 años en 15, a fin de tener un equilibrio saludable entre ser sabios con nuestro dinero y disfrutar la vida con este nuevo orden con el que ahora vivimos.

Existen programas de pago acelerado donde te ayudan a pagar tu casa más rápido. Ya vimos que tiene sentido pagar tu casa más rápido, pero no es necesario pagarle a alguien que lo haga por ti. Ustedes mismos lo pueden hacer. Solo averigüen con su banco cómo prefieren recibir el dinero adicional. A veces, los bancos prefieren recibir dos cheques: uno con el pago normal y otro con el dinero adicional al capital. (En algunas partes también le llaman "principal", ese es el término que usaremos a lo largo del libro. Capital = Principal). Otros, aplican automáticamente al principal el dinero adicional que mandes en un cheque. Eso sí, hay que asegurarse que el dinero adicional que mandes vaya directo al principal y no a intereses o pagos adelantados. Muchas veces escuchaba: "Andrés, ya tengo mi casa pagada por los próximos 10 meses". Hacer pagos por adelantado no es bueno porque parte de ese dinero se aplica a los intereses. Lo que paga la hipoteca más rápido es reducir el principal (la deuda de la casa). Entonces, toda cantidad por encima del pago normal, va contra el principal. Por mucho que tenga sentido acelerar el pago de la casa, no te adelantes, tienes que hacerlo según el orden del plan financiero y este es el Pasito #6; ya sabes, el que va después del 5.

Refinanciamiento

¿Cuándo tiene sentido refinanciar? La razón principal para refinanciar es que tenga sentido financieramente. No se debe refinanciar solo para reducir tu hipoteca de 30 años a 15 años. Ya sabemos que uno puede acelerar el pago de la casa y terminar con la hipoteca de 30, en 15 años. La razón principal para refinanciar es ahorrar dinero en intereses. Una regla para determinar rápidamente si tiene sentido, es si le puedes quitar 2% a tu hipoteca; si así fuera, hazlo mientras no te vayas a ir pronto de tu casa. Por ejemplo, si tú reduces el interés de tu hipoteca de $100,000 del 6% al 4% significa que ese año te vas a ahorrar $2,000 en intereses. El próximo año, y el siguiente te seguirás ahorrando ese 2% hasta terminar con la hipoteca. Eso puede representar miles y miles de dólares. Ahora bien, refinanciar tiene un costo y algunas veces no tiene sentido. Un refinanciamiento —que básicamente es un préstamo nuevo— pues pasa por los mismos trámites que ya hiciste en la primera hipoteca. Ese costo puede variar desde un 2% hasta 6% de la cantidad refinanciada. Así que refinanciar una hipoteca de $100,000 te puede costar desde $2,000 hasta $6,000. Lo más común es de un 3% a un 4%. Veamos un ejemplo.

Digamos que los costos para refinanciar tu hipoteca de $100,000 son de $3,000 y vas a reducir el interés 2%. Eso significa que te vas a tomar como un año y medio para recuperar tus costos de cierre. El primer año, te vas a ahorrar $2,000 y para mediados del segundo año debes estar recuperando otros $1,000. Te va a tomar un poco más de 18 meses para recuperar los costos de cierre. De 18 meses en adelante es ganancia, pero salirse de la casa antes de 18 meses sería una pérdida. Si están considerando refinanciar pregúntale a la persona en cuánto tiempo te recuperas. Otra buena regla es que, si puedes recuperar los costos de cierre en 3 años o menos, aunque prefiero que sea en 2 años, entonces tiene sentido refinanciar, pero solo si no te vas a salir de la casa. Sería muy tonto refinanciar y pagar $3,000 dólares y vender la casa 10 meses después, cuando aún no te has recuperado de los gastos.

Dije que la razón principal es cuando tiene sentido financieramente. Sin embargo, a veces, tiene sentido para quitarte el PMI (seguro contra incumplimiento de hipoteca). Como expliqué anteriormente, cuando llegas al 20% de valor positivo de la hipoteca puedes aplicar para que te quiten ese seguro. Ahora bien, hay hipotecas que no te lo quitan a menos que refinancies. Si el costo de este seguro es de $150 mensuales y los costos de cierre para refinanciar son de $3,000 te va a tomar 20 meses recuperarte ($3,000 / $150 = 20 meses). Si te ahorras esos $150 durante los próximos 12 años por el resto de la hipoteca, representa un ahorro de $21,600 ($150 por mes x 12 meses por año x 12 años = $21,600).

Para resumir, si vas a vender tu casa en los próximos años, es muy probable que no tenga sentido refinanciar. Recuerda: no es necesario refinanciar para terminar antes con tu casa. Si tú ya tienes un muy buen interés, no refinancies, solo págala más rápido.

Sin documentos

Si tú vives en Estados Unidos y no tienes documentos, puedes comprar casa. Antes de que llegara la recesión del 2008 la mayoría de los bancos prestaban con un ITIN (*Individual Tax Identification Number*, también conocido como W7). Este es el número que el gobierno asigna para tramitar el pago de tus impuestos. Si habías estado declarando impuestos con este número, la mayoría de los bancos te prestaba dinero para comprar casa. Después de la recesión, los bancos apretaron tuercas y muy pocos lo hacen todavía. Cerca de un 60% del pueblo latino que había comprado casa se vio afectado por la recesión y se retrasaron con los pagos. Otros, simplemente dejaron de pagar. Eso es, exactamente, lo que los bancos no quieren. Ellos vieron un riesgo más alto con el pueblo latino, específicamente con los que compraron con ITIN, y eso trajo como consecuencia que ya casi no se acepte, pues el pueblo latino fue el más afectado por las hipotecas basura (*subprime mortgages*). Ahora, poco a poco, hemos visto más y más bancos que lo están volviendo a hacer, pero con mucho más cuidado. Unos bancos que dan hipotecas con ITIN piden hasta un 30% de enganche, aunque lo he visto bajar hasta un 10%. Tu tarea es encontrar cuál es el banco en tu comunidad que está trabajando con el pueblo latino en esta área. Te aviso que los intereses que le ofrecen a una persona sin documentos son más altos de los que le dan a una persona con documentos. A pesar del interés más alto, sigue teniendo sentido comprar casa, pero sigue los consejos que has aprendido aquí. Mientras mayor sea tu enganche, mejor; y si sigues el plan financiero en el Pasito #6, aceleras el pago para salir antes de lo acordado.

El cierre

El día del cierre es como cuando un niño decide subirse por primera vez a la montaña rusa. Desde hace algún tiempo, todos los días piensa: "Ahora que vayamos al parque finalmente me voy a subir". El día antes de ir al parque no puede ni dormir y cuando está allí, fluyen todo tipo de emociones de duda hasta que está listo y se sube. Cuando se baja, camina como si hubiera crecido dos metros porque se siente como un gigante y, por dentro, tiene un sentimiento hermoso que dice "lo logré, lo logré, lo logré". Eso es digno de celebrar, por eso les recomiendo que sigan la tradición de los gringos y hagan un "*house warming party*". Esta es una fiesta donde invitas a todos tus seres queridos para que vengan y conozcan, y todos te traen un regalito para la casa: desde toallas hasta plantas para el frente de la casa.

A veces parece que nunca llega el día de cierre porque, por mil razones, se retrasa el día esperado. Debes estar en contacto continuo con las personas del banco para asegurarte de que tengan todos los requisitos unos días antes de la fecha de cierre planeada. Cualquier detallito, por pequeño que sea, retrasa esa fecha. El banco no permitirá que se firmen los papeles hasta que ellos confirmen que tienen absolutamente todo. Unas veces hasta piden otras cosas como, por ejemplo, mostrar tu estado de cuenta bancario más reciente para ver si tienes dinero como fondo de emergencia. Todos, pero todos, los detalles de gastos están en una sola hoja que, por ley, aquí en Estados Unidos, te deben mostrar tres días antes. Aunque no fuera ley en el país donde estás, pide ver los detalles del cierre que, básicamente, son todos los gastos que vas a pagar, el interés y, por supuesto, lo que será tu pago final. Repito, no tengas pena en preguntar y, si no ves lo que te prometieron, tienes que estar dispuesto a cancelarlo todo. ¿Qué tal si te prometieron un 5% de interés, pero a la hora del cierre, por no haber pedido ese formulario tres días antes, te sientas y el papel dice 6% de interés? ¿Firmas? Ese 1% de interés representa miles y miles de dólares y por la urgencia de cerrar y meterte a la casa aceptas cambios donde se aprovechan de ti. Esa es una de las maneras de generar fuertes comisiones para quien te esta "ayudando" con la hipoteca. Conforme se acerca la fecha del cierre, diles que quieres ver esa hoja tres días antes de cerrar para analizar todo antes de firmar.

Una cosa más, prepárate para firmar como 1,425 veces. Bueno… no son tantas veces, pero así se siente. Puede ser intimidante ver esa montaña de papeles por firmar. Básicamente, te van a hacer firmar diferentes juegos o sets de documentos, pero todos dicen lo mismo: "si no pagas, te quitamos la casa"; al terminar de firmar, te entregan las llaves de tu casa. A propósito, esa montaña de papeles se convierte en tres firmas cuando compras en efectivo. Otra razón más para juntar enganche del 100%. El día del cierre, tómense fotos y háganmelas llegar para celebrar junto con ustedes.

Corredores de bienes raíces

A los corredores de bienes raíces, se les llama "corredores" a secas. ¿Por qué? Porque si no haces lo que aquí has aprendido y no contratas al corredor correcto, te corren de tu casa. (Es broma), pero en serio: te he dado mucha información sobre cómo comprar casa sabiamente. Sin embargo, te recomiendo que contrates un profesional de bienes raíces de todas maneras. En Estados Unidos se conocen como "*Realtors*" que es el término en inglés para un agente inmobiliario. El trabajo de ellos es ayudarte a comprar o a vender tu casa. El valor que tienen es mucho más que solo ayudarte con tanto papeleo que involucra la compra o venta de una casa. Dicho sea de paso, este consejo no es solo para la gente que vive en Estados Unidos, esto aplica para todos los que viven en la Tierra.

Ya que estés listo para comprar, es decir, que hayas cumplido con el Pasito #3 y tienes el enganche, es el momento para reunirte con un corredor para conocerlo, entrevistarlo e ir aprendiendo sobre el mercado local. La gran mayoría (casi todos) trabajan por comisión; así que no te cuesta invitar a uno tu casa, o conocerlo en su oficina, para empezar a hablarle de tus planes. Ahora bien, para cuando se sienten con ellos, ustedes ya deben tener una idea —muy clara— de cuánta casa quieren comprar por lo que han aprendido en este capítulo y tienen que ser muy cuidadosos de esos límites pues es fácil hablar con un corredor y volarse esas fronteras que ya habían establecido. Por alguna razón (tal vez porque ganan comisiones) después de una plática con ellos, la gente siempre termina con planes más grandes que los que tenían al principio. ¡Cuidado con esto! Si el corredor no respeta lo que ustedes le están mencionando como límites, tal vez no sea el corredor adecuado. Ellos están para aconsejar, pero también para escuchar sus planes y ajustarse a su presupuesto.

¿Cómo se pagan los servicios de los corredores? Ellos ganan comisión cuando se cierra la transacción. Tú no pagas comisiones cuando compras casa, pero sí cuando la vendes. Los servicios de un profesional que te ayuda y representa en la comprar, los paga el que vende la casa. Las comisiones son el 6% del valor de la transacción. Se dividen en dos: un 3% es para el corredor que vende, y el otro 3% es para el corredor que compra. El que está vendiendo su casa paga las comisiones de su corredor, quien lo representa, y las del corredor que representa al comprador. Así que, si tú estás comprando, no pagas; pero te tocará pagar cuando vendas. Hay algunos que quieren cobrar antes de ganarse las comisiones. Sin duda invierten tiempo en sentarse contigo y después en empezar a mostrarte casas. Puede ser que no se haga nada y él no gana nada por todo ese tiempo, ni por la gasolina que invirtió; pero son "gajes del oficio". Algunos te quieren cobrar desde el principio por esa inversión de tiempo. Si ese fuera el caso, busca a otro que no te cobre al principio, sino que siga el camino tradicional de hacer un buen trabajo y ganarse sus comisiones como todos: al final. Otros quieren que les firmes un papel, desde el principio, donde tú entras en un contrato para que ellos te representen en la venta o compra de tu casa. Si firmas ese papel, no puedes ir con alguien más para que te represente hasta que se termine ese acuerdo que, regularmente, es por 180 días (6 meses). Cuando yo he comprado casas, no me han pedido que les firme nada hasta que encontramos una casa que nos satisface y hacemos una oferta. Es más común firmar un acuerdo de venta casi desde el principio, pero no en la compra. A menos que sea una persona altamente recomendada, no firmes nada en la primera cita. Tu meta es entrevistarlos y discernir si es la persona que quieres contratar. Si tu esposa te dice: "No me siento cómoda con él", no le debes nada, programen otra cita para entrevistar a otro corredor.

Si tú no eres un experto que está comprando casas frecuentemente, como inversión, no intentes hacerlo solo. Son demasiados detalles y ellos tienen acceso a mucha información para hacer una compra sabia. Te quiero dar una fuerte recomendación, trabaja con un corredor. Una pregunta que yo les hago es cuántas casas vendieron el año pasado. Si el corredor vendió 12 casas o menos, busquen a otro. Eso es una por mes y con todos los gastos que ellos tienen, él está más interesado en sus comisiones que en tu bienestar. Te aconsejo que trabajes con un corredor de bienes raíces que ande cerca o supere las 50 casas por año. Esto es lo que se conoce como un *animal* de los bienes raíces. "Andrés, pero uno así de ocupado no me dará un buen servicio". Ese corredor les está dando muy buen servicio a muchas familias porque sabe vender casas. Es preferible que trabajes con un *animal de garra* que con alguien que lo hace de medio tiempo o que acaba de empezar en el negocio. Por favor, no pongas la venta de tu casa —que puede ser cientos de miles de dólares— en manos de tu tía que, después de seis intentos, pasó su examen para obtener la licencia como corredor; y solo por eso dice que tiene "licencia experimentada". Puede ser incómodo contratar a un familiar porque no le exigirías igual que a alguien que solo tiene una relación de negocios contigo. Aparte, si las cosas no salen bien, el ambiente en una reunión familiar puede cambiar.

Casas móviles o "Trailas"

¿Cuántos de ustedes pondrían dinero en una alcancía que tiene un hoyo? Una de las metas de comprar casa es construir patrimonio. La idea es comprar algo que, a largo plazo, aumente de valor; por eso no recomiendo comprar casas rodantes o *mobile homes* o prefabricadas. Aunque sea una casa; si tiene ruedas para llevarla al terreno donde la quieres poner, se va a devaluar igual que un carro. Muchos compran casas rodantes porque les financiaron y el banco no les dio la hipoteca para

> **Para crecer con el dinero hay que poner más dinero en cosas que suben de valor y dejar de poner dinero en cosas que pierden valor.**

comprar una casa tradicional. Esa no es justificación para perder dinero. Hoy en día una *mobile home* (también conocida como, "traila") puede costar $100,000 y hasta más. En 15 años, su valor será una fracción de lo que costó y —de acuerdo al gobierno, que te permite devaluar este tipo de propiedad—, en 27 años no tendrá valor alguno. Solo busca una casa rodante de 27 años de edad y no valdrá ni $3,000 dólares, pero una casa de ladrillo o "*siding*" es muy probable que valga el doble o el triple de lo que pagaste.

La única vez que tiene sentido comprar una casa rodante es cuando la compras muy, pero muy, económica. Si te cuesta más de $20,000 es muy probable que tú, también, vayas a perder dinero ya que se sigue devaluando. Pero tiene sentido si pagas $10,000, o menos, y vives allí unos años para estabilizarte y prepararte para comprar una casa tradicional. Hacer esto es un plan temporal para, posteriormente, hacer una inversión en una casa que sí tendrá plusvalía (sube de valor). Comprar una casa rodante por $10,000 y un terreno por $10,000, vivir allí 5 años significa que tu costo de vivienda fue de $333 por mes ($20,000 / 60 meses = $333). Si en esos 5 años reúnes el dinero para comprar una casa en efectivo, es muy probable que puedas vender el terreno y la casa por los mismos $20,000 que pagaste. "Andrés, ¿o sea que si hago eso no se devalúa?" La casa sí se devalúa un poco, pero también es muy probable que tu terreno haya ganado plusvalía; así que no perdiste nada. En otras palabras, realmente no te costó vivir allí ni

$333 por mes. La meta es comprarla muy económica y hacerle unas reparaciones para dejarla cómoda para tu familia. Recuerda: para crecer con el dinero hay que poner más dinero en cosas que suben de valor y dejar de poner dinero en cosas que pierden valor.

En conclusión, si no te quieres hundir, no compres casa de más. Si tienes hijos, piensa en qué es mejor para ellos, una casa modesta con un padre presente o una casa grande con un padre ausente. Dudé en incluir este capítulo al libro porque mi meta principal con este libro es transformar tus finanzas en los próximos 30 días; pero como comprar casa es la meta principal de muchos, esos muchos ya están en una casa y lo tuve que mencionar ya que la casa representa un alto porcentaje del ingreso mensual. Espero que este capítulo te ayude con esa decisión tan seria para reconocer que posiblemente estás en una casa o renta más allá de tus posibilidades y que puedas hacer planes para salir de allí. Tengas o no tengas documentos, vivas o no en Estados Unidos, en este capítulo te he enseñado cómo prepararte antes de comprar y qué casa comprar. El objetivo es que la casa pase de ser una pesadilla a ser una bendición.

9

Trabaja con profesionales

Donde no hay dirección sabia, caerá el pueblo; mas en la multitud de consejeros hay seguridad. Proverbios 11:14, (RV60)

Recuerdo claramente estar sentado en mi oficina con un hombre rico. Mi corazón latía con rapidez por la emoción y, al mismo tiempo, intimidación porque no estaba seguro sobre cómo atenderlo. Hasta ese momento, cuando lograba programar una cita con una persona que tenía recursos mayores a un millón de dólares, invitaba a otro profesional que había trabajado mucho con ellos. Me di cuenta que los ricos hablaban un lenguaje diferente, uno que yo ya venía conociendo; también aprendí que son muy cuidadosos de quién reciben consejo. Tenía años de hacer eso pues aprendí que los ricos no trabajan con todos. Para entonces, ya tenía años de experiencia como asesor financiero y esa fue, tal vez, mi primera cita con un rico. Creo que él se sintió cómodo porque me pidió que le recomendara a alguien. "Andrés, necesito un contador, ¿quién es el mejor aquí?". Me quedé pensando y le mencioné un despacho contable, pero agregué que había escuchado que eran los más caros. Él me respondió: "no te pregunté quiénes son los más caros, te pregunté quiénes son los mejores; si cobran más tal vez sea porque lo valen". Esa fue una gran lección para mí. La gente que tiene recursos busca el mejor consejo y creen que el valor que recibirán será mayor a lo que están pagando.

"Andrés, qué bonita historia, pero eso ¿qué tiene que ver conmigo que no soy rico?". Te lo diré de esta forma: necesitas dejar de seguir tus propios consejos. Necesitas dejar de actuar como pobre, y hacer lo que hace los ricos. Necesitamos aprender los procedimientos de los ricos y ponerlos en práctica. La mentalidad de ese rico es muy diferente a la mentalidad con la que yo crecí. Es una manera de pensar muy diferente que no existe de la clase media para abajo. La gente sin recursos dice: "¿quién puede hacer esto por menos?", y no se detiene a pensar si el consejo es bueno o no. El punto no es que vayas con el más caro, sino que pienses de quién recibes consejo o algún servicio importante. Te doy un ejemplo. Cuando llega la época de declarar impuestos, la mayoría no piensa quién es esa persona y qué experiencia tiene. Muchas veces, la señora que cuida niños y vende joyería, y pone inyecciones, también llena formularios de impuestos y ya que vive cerca y no cobra mucho, terminas con ella. Mal, mal, mal, mal, mal.

Así como hacer y llevar un presupuesto es cosa de ricos, también lo es buscar y rodearte de profesionales que saben más que tú, pero que te pueden hablar en términos sencillos, fáciles de entender. Es increíble, pero en todas las áreas de tu vida donde hay dolor, hay expertos que saben cómo darte alivio. Si estás teniendo problemas matrimoniales, hay consejeros que te pueden ayudar a resolverlos.

> ## Si no te gusta donde estás, deja de seguir tus propios consejos.

Realmente, para nosotros no es nada nuevo buscar ayuda en otras cosas. Cuando se descompone el carro, vamos con el mecánico; cuando el baño no funciona, hablamos con el plomero; cuando se enferma un hijo, vamos con el doctor; pero cuando se trata del dinero, la gente puede pasar toda su vida sin ese consejo y eso lo cambia todo.

Ya hablamos de la ignorancia como uno de los grandes problemas que la gente tiene. La ignorancia no es un delito. No existe un policía y ni juzgado que te diga: "violó los principios fundamentales de las finanzas personales y eso merece cárcel". Es triste, pero, aunque no sea una prisión literalmente hablando, por la falta consejo profesional muchos viven las mismas condiciones que un preso. Aunque todas las señales de que andas mal están presentes, casi nadie piensa: "voy a buscar un profesional que me ayude". Y si llegas a buscar consejo, es muy probable que sea con la persona equivocada. Ya lo dije antes, y lo repito: hasta el consejo bienintencionado de tu papá puede estar equivocado. Si tu meta no es terminar como tu papá, busca consejo profesional. No siempre es necesario pagar por el servicio, pero muchas veces, ese consejo profesional tiene un costo y no debes tener miedo de pagar. Así como le pagas al médico, al plomero o al mecánico, de igual forma, no tengas miedo de pagar por un consejo en otra área de tu vida.

¿Por qué necesito un coach, entrenador, director técnico, consejero o asesor financiero? El asesor o consejero –para hablarles en términos de futbol, el director técnico—, sabe más que tú. Puedes ser buenísimo con el balón y muy rápido como una persona que gana buen dinero, pero no conoce de estrategias para que todos los jugadores formen un mejor equipo. Tiger Woods ya es considerado como uno de los mejores en la historia del golf y, aun así, tiene un *coach* [entrenador] que revisa su *swing*. ¡Es uno de los mejores jugadores del mundo y tiene un entrenador!

El director técnico logra ver las capacidades de cada jugador y acomodarlos de la mejor manera para la estrategia diseñada. Así es el asesor que habla sobre las diferencias entre esta inversión y la otra, o este seguro y el otro. Además, te mantienen informado sobre cambios en las leyes. Esos beneficios son la razón por la que los equipos pagan tanto dinero por los directores técnicos. Cuando un buen director técnico termina con su contrato, todos los demás equipos quieren contratarlo porque sabe ganar. Imagínate un equipo de puras estrellas sin director técnico. Por muy buenos que sean los jugadores, probablemente terminarían en último lugar. Carlos Slim, mexicano, y uno de los hombres más ricos del mundo, está rodeado de asesores financieros. ¿Qué le pueden enseñar los asesores a Carlos Slim?

Para ganar con el dinero necesitas crecer en conocimiento sobre finanzas. Es cierto que puedes obtener conocimiento de un libro; sin embargo, necesitas conversar con un profesional para que te guíe en la aplicación y práctica de ese conocimiento. Dicho en otras palabras, el conocimiento del libro no es suficiente, necesitas de la sabiduría de un asesor experimentado. El asesor te dice cosas como "solo con $100 mensuales puedes acabar millonario si empiezas a los 25"; y luego, te explica lo que eso significa. Si quieres ganar necesitas un *coach*, un director técnico. Si ya lo tienes, te felicito; y si no, me gustaría tomar ese puesto hasta que tengas uno más personal. Yo siempre voy a estar aquí para compartir todo el conocimiento que he adquirido —por casi 20 años— como asesor financiero, pero tu meta debe ser conseguir un asesor personal.

Un director técnico motiva, anima y saca lo mejor de los jugadores. Es igual con un asesor. Él está para mostrarte lo que puede suceder si ahorras, si inviertes. También está allí para darte una sacudida cuando la necesites. Un asesor financiero existe para despertarte y hacerte ver más allá del fin de semana, para levantar tu mirada hacia horizonte. Así es como se crea la riqueza. Cuando solo piensas de aquí al viernes, es muy difícil ver la importancia de invertir a largo plazo.

Muchas veces, no es el conocimiento, sino que ellos ven tu situación desde un punto de vista frío. Ellos pueden ser totalmente objetivos porque no están involucrados emocionalmente. En el manejo del dinero, es importante dejar las emociones a un lado. Tú puedes saber tanto como el asesor, pero no puedes desconectar el lado emocional. Sin embargo, ellos están conectados con el lado lógico del cerebro. Su deber es hacer que tu dinero rinda, que trabaje; no ceder a la manipulación de las emociones. Hace un par de meses me reuní con un asesor financiero para revisar nuestra situación. Yo, con toda mi experiencia, quise obtener una opinión sobre cómo iba todo desde una perspectiva fría que podía ver más allá de los números. Un director está allí para apoyarte emocionalmente cuando estás pasando por un momento difícil o para celebrar cuando metes gol. De la misma forma sucede con un asesor. Te va a apoyar y a dar consejo cuando estés a punto de tomar una mala decisión, como sacar el dinero de tu cuenta para la jubilación y comprarte un televisor, o evitar que compres el seguro equivocado. El asesor provee este apoyo y celebra con ustedes cuando terminan con uno de sus Pasitos.

Tú estás limitado por tu conocimiento. Tú conoces del dinero lo que la vida te ha enseñado. Te tengo dos noticias; la buena, es que tú vas a terminar aprendiendo todo sobre el dinero sin necesidad de un asesor financiero. La mala, es que lo lograrías a manera de prueba y error y tendrás que recuperarte de las tonterías que cometiste con tu dinero. Cuando tengas 60 años habrás aprendido lo suficiente para decir: "voy a empezar a ahorrar porque es importante". Muy tarde. Los buenos jugadores tienen talento, pero tienen que recibir enseñanza desde muy jóvenes. Por eso los equipos profesionales tienen fuerzas básicas no para encontrar el talento sino para desarrollarlo y darle conocimiento.

También es importante decirles que no. Solo porque visten un bonito traje o porque tienen una oficina lujosísima no quiere decir que estén automáticamente calificados como la persona correcta para ser tu asesor. Tampoco digo que entre más modesta sea su oficina o su saco viejo y brilloso, eso indique que es la persona adecuada. Tienes que salir en busca de este asesor; así como cuando contrataste a un mecánico. Estoy seguro viste talleres donde los carros están todos amontonados, todo está sucio y tiene mal aspecto. Eso te indicó que tu carro estaría allí tirado por varias semanas coleccionando polvo. Ah, pero uno de ellos era amigo de tu cuñado, el quebrado, que te decía "pero es un buen mecánico y cobra barato". No es cierto que puedas recibir un trabajo excelente de un lugar que exhibe desorden, suciedad y falta de organización. Cuando un profesional tiene en orden su taller o su oficina, es porque es ordenado en todo. No es posible que una persona te diga "le voy a enseñar a poner sus finanzas en orden, pero cierre los ojos en mi oficina para que no vea el desorden".

Lo que andas buscando de un profesional es el conocimiento y, especialmente, un conocimiento que se alinee con lo que estás aprendiendo. Si te reúnes con alguien y le dices que estás saliendo de deudas y él, a su vez, te dice que desaceleres eso para empezar a invertir, necesitas –de la manera más cordial— salir de allí. Recuerda que acabas de aprender este proceso de los Pasitos y debes seguir ese orden. Si esa persona menciona algo que no está de acuerdo con este proceso, por mucha experiencia que diga tener, tú no debes hacer algo que va en contra de lo que te dice tu corazón o tu cerebro. El solo leer este libro, te da suficiente entendimiento sobre finanzas personales No dije seguros o costos internos de una inversión, pero sí sobre finanzas personales. Es más, a mí nunca me enseñaron finanzas personales a pesar de iniciar mi carrera en una de las empresas más grandes de los Estados Unidos. Después, me cambié a otra; y me enseñaron cómo presentar un plan financiero donde se muestre cuánto y qué seguros son necesarios en una situación y cuánto se necesita ahorrar para el futuro; pero no, cómo salir de las deudas y cómo hacer y vivir bajo un presupuesto. El enfoque de la enseñanza para los profesionales de finanzas está en cómo se vende un producto. Por eso, es muy probable que te encuentres con varios profesionales a quienes solo les interesa su lado de la ecuación y no tanto el tuyo.

Al sentarte con alguien, si te da mala espina, por favor, no hagas negocios con esa persona. Hay demasiados de estos profesionales como para terminar con uno que no te cae bien. Esta es una persona que debes de ver todos los años. Si estás casado, te recomiendo que lleves a tu esposa porque las mujeres tienen un sexto sentido que nosotros no tenemos. Si las antenitas de vinil de tu esposa te dicen algo, por favor, busca a otra persona. No hay ninguna prisa. Si no has tenido ese seguro toda tu vida o esas inversiones, no es necesario empezar hoy con la persona equivocada.

La persona que buscas es alguien que tiene corazón de maestro. Es una persona con quien pasas tiempo y con quien aprendes algo nuevo. Es una persona que no trata de venderte algo siempre que estás frente a él. Conforme vayas creciendo económicamente, tendrás necesidad de otros productos financieros; pero el punto es que, si vende más de lo que enseña, es la persona equivocada.

Nuestro mundo está cambiando rápidamente y hay mucha información en la internet. Toma ventaja de la internet y aprende más si te interesa; sin embargo, mi consejo es que te rodees de profesionales. Si tu vecina sabe llenar los formularios para hacer tu declaración de impuestos y solo lo hace durante esa época, por favor, no vayas con ella. Busca alguien que se dedique a la asesoría financiera durante todo el año. Sí hay diferencia en cuanto a experiencia. No te cuesta más, al contrario, el valor que un verdadero profesional te da, convierte tu costo en inversión. No temas trabajar con profesionales. Esto es una diferencia fuerte entre la gente de clase media y baja en comparación a los ricos. "Pero, Andrés, los ricos van con profesionales porque tienen dinero". ¡Equivocado! Los ricos son ricos y siguen siendo ricos porque van con profesionales. Rompan con esta mentalidad de pobreza y trabajen con profesionales de calidad.

> No puedes recibir un trabajo excelente de un lugar que exhibe desorden, suciedad y falta de organización.

Antes de dejar este tema, es muy importante que hablemos sobre tomar consejo. Antes que nada, consejo no significa que es una orden. Vivimos en un mundo y una cultura muy individualista; a la gente se le dificulta permitir que alguien hable a su vida, es decir, que le diga las cosas directamente, en especial, lo que está haciendo mal. El asesor no es tu papá, ni tu abuelo, ni tu pastor; sin embargo, por experiencia te digo que se establecen relaciones fuertes con esta persona y se habla de muchos temas fuera de las finanzas personales. Si andas buscando un giro en tus finanzas personales, necesitas soltar tu ego y permitir que el consejo de otros llegue a tu vida. Si no te gusta donde estás, cambia. Es por tu culpa y tu falta de conocimiento que estás donde estás, así que baja la guardia y aprende a escuchar a personas más sabias que tú. Busca personas que respetes en diferentes áreas de tu vida y pídeles consejo. Nunca llegarás al próximo nivel en tu vida si no dejas de criticar a los que han llegado más alto que tú. En vez criticar, aprende de ellos. Si quieres llevar tu matrimonio a otro nivel, no leas el libro del que lleva seis divorcios y dice que ya tiene el secreto para un matrimonio feliz. No. Busca una pareja que tenga 50 años de casados y pregúntales cómo se aguantaron. Hay personas que han escrito libros sobre este tema de cómo recibir consejo. Simplemente, reconoce que hay personas más sabias que tú que están dispuestas a compartir su experiencia. No es necesario tropezar con la misma piedra con la que alguien ya tropezó. Si necesitas todo un libro para aprender a aplicar este principio es probable que nunca salgas del hoyo. Ahorita mismo, toma la decisión de dejar de criticar y hacer de tu vida una búsqueda de consejo sabio.

Hay una Escritura que es muy conocida y muy repetida. La encuentras en Oseas 6:4: *"Mi pueblo perece por falta de conocimiento"*. No dice que te va a ir mal. Dice que la falta de conocimiento en tu vida, te mata. A pesar de ser un asesor financiero y conocer productos financieros, realmente no conocía este tipo consejo que estás aprendiendo en este libro. Tomé la decisión de seguir aprendiendo y poniendo en práctica lo aprendido y nuestras finanzas cambiaron. Ahora es tu turno. La meta es transformar tus finanzas en 30 días. Este libro te está dando una receta que, si la pones en práctica, no hay duda que tu vida financiera será otra en solo 30 días. Piensa qué otras áreas de tu vida quisieras transformar. La respuesta que buscas existe y hay gente que está lista para dártela. Solo este capítulo vale diez veces lo que pagaste por este libro. De ahora en adelante date a la tarea de buscar el mejor consejo posible.

10

Ponle queso y aguacate

He escuchado, de personas que respeto, y he leído libros que dicen que lo más divertido del dinero es dar. Al principio, yo escuchaba esto y pensaba que estaban exagerando. Entiendo el concepto y tiene sentido, pero recibir se siente mejor. La Biblia dice que hay más dicha en dar que en recibir. Cuando leí eso por primera vez, lo primero que pensé fue: "Aquí Dios se equivocó. Hace tiempo yo decía: "Yo no estoy pa' dar, estoy pa' que me den". No hace mucho, regresamos a casa después de haber viajado para visitar a nuestras familias en la época de Navidad y teníamos unos regalos para nuestros hijos. Queríamos dárselos el día de Navidad, pero era difícil llevarlos porque teníamos que viajar en avión. Ellos sabían que los regalos estaban debajo del árbol y, al llegar, corrieron hacia él. Les dije: "Calma, vamos a darle gracias a Dios porque podemos disfrutar de algo así". No habíamos dicho *Amén* cuando ya estaban arrancando el papel de los regalos. Recuerdo que mi esposa y yo veíamos la transformación de un área organizada a un basurero en menos de dos minutos. Recuerdo claramente lo mucho que disfruté ver cómo abrían esos regalos; mis hijos me volteaban a ver con una sonrisa de oreja a oreja y con los ojos bien abiertos. Me di cuenta que disfruté mucho más haberles dado esos regalos de lo que disfruté los que yo recibí.

Esto es un ejemplo muy obvio porque todo padre y madre disfrutan de dar a sus hijos; pero ese es el punto... realmente, hay más dicha en dar, que en recibir.

Todos tendemos a defender a los niños por ser niños, pero esos *mocosos* son más egoístas que uno de adulto experimentado. ¿A poco no? *Mío, mío, mío, mío* y no se cansan de recibir regalos. En cambio, cuando uno crece y madura empieza a disfrutar más dar que recibir. ¿Recuerdas darle un regalo a tu novia? ¿Qué sentiste cuando tu papá recibió ese regalo que no esperaba? ¿Qué cara puso tu jefe cuando le entregaste esa caja empacada? Y tú mamá, ¿qué te dijo cuando le llegaron esas flores? ¿Alguna vez has hecho algo así por alguien que no es un familiar?

Cuando nos administramos mejor y dejamos de ser como la rata en la rueda —apenas sobreviviendo de mes a mes— empezamos a vivir más holgados (sueltos financieramente) y empezamos a experimentar con la generosidad. Es difícil pensar en dar cuando estás quebrado. Sin embargo, cuando ya no estás preocupado por el pago de la luz, es como si te quitaran los tapones que no te dejaban escuchar al Espíritu Santo. Muchas veces, uno está tan preocupado en cómo llegar a fin de mes que no puede ver las necesidades de los demás, aunque las tenga enfrente. Y si las ves, es peor pues te llenas de culpa porque sabes que deberías hacer algo y no lo haces por temor a quedarte corto con el pago de la renta. Para nosotros, fue en la iglesia donde empezamos a conocer gente que practicaba la generosidad. Escuchábamos historias de personas que, hasta con menos recursos que nosotros, hacían cosas que te tocaban el corazón. Luego, los conocía y se veía que tenían paz en su alma y alegría en el rostro. Poco a poco, empezamos a reconocer necesidades y a suplirlas. Qué maravilloso regalo de Dios poder ver una necesidad y no tener que quedarte de brazos cruzados. Aprender sobre esto —y vivirlo— ha cambiado nuestra manera de pensar, a tal punto que ajustamos nuestro presupuesto para incluir una categoría simplemente para dar. En la iglesia le llaman ofrendas, nosotros le llamamos bendición. Mi esposa y yo hemos disfrutado decidir a quién vamos a bendecir este mes. Muchas veces, nos pasaba que estábamos en la iglesia y nos enterábamos de una necesidad, nos volteábamos a ver o mi esposa me apretaba la pierna como diciéndome, sin palabras, "esto es importante, tenemos que hacer algo al respecto"; pero, al mismo tiempo, me cruzaba por la cabeza: "pero de dónde va a salir esto". Tenemos años viviendo bajo estos principios y, por supuesto, bajo un presupuesto; y en un presupuesto igual a cero todo el dinero ya ha sido distribuido. Nosotros realmente practicamos todo esto que les he enseñado. Nuestros ingresos ya están gastados antes de que entren. Durante un tiempo, nuestra solución era quitarle a una categoría de poca importancia, como entretenimiento o mejoras para la casa, y usábamos ese dinero. Y aquí vino el cambio, decidimos ajustar nuestro presupuesto para agregar esta categoría de ofrendas por encima de darle gracias a Dios con el diezmo. Ahora cuando surge una necesidad nos volteamos a ver con una sonrisa. Yo creo que ese cambio nos quitó los tapones y los oídos se volvieron más sensibles al susurro del Espíritu Santo.

Este cambio le ha dado un sabor diferente a nuestra vida y nos sentimos bendecidos por poder hacerlo. Antes, por mucho tiempo, yo habría leído algo así y hubiera dicho que "todo iba bien" hasta que habla de dar mi dinero que yo me gané para mí. No escuché este principio cuando yo estaba creciendo o, tal vez, no puse atención cuando me llevaban a la fuerza a la iglesia. Seguramente lo compartían con frecuencia pues es muy enriquecedor, pero me entró por una oreja y me salió por la otra. Quizá fue más que eso, en mi casa no se practicaba. Mis padres han sido

> Los juguetes, por muy bonito que sean, al paso del tiempo se dañan, se oxidan, se hacen viejos; pero siguen siendo juguetes.

de lo más generosos con nosotros, sus hijos, pero igual que yo, ellos no crecieron viendo eso y no llegaron a escuchar la Palabra de Dios hasta ya eran más grandes.

A lo que voy es que, a través de este libro, les he trazado un plan a seguir y he compartido todo el conocimiento que tengo para ayudarles a llevarlo a cabo. Si ustedes siguen este plan, sin duda van a prosperar. Pero si se pierden de este tema, van a perderse lo más divertido que pueden experimentar. Es más, este es el signo de exclamación de todo lo que hemos venimos aprendiendo en el libro. Administrarte mejor eliminará muchas preocupaciones de tu vida. Es lindo saber que estás invirtiendo para el futuro o para la educación de tus hijos. Sin duda, comprar tu casa es un gran logro y salir de vacaciones es muy divertido. Esto de la generosidad produce un calorcito en tu corazón que dura más que todo lo que puedan producir esas cosas. Si comes langosta todos los días, con el tiempo te va a saber a jabón. Si manejas *una nave de súper lujo* al final, sencillamente, es un carro, es decir, te acostumbras y se acaba la emoción. Si sales de vacaciones o te vas en un crucero cada año, llegará el momento en que no lo vas a disfrutar tanto como al principio. Los juguetes, por muy bonitos que sean, al paso del tiempo se dañan, se oxidan, se hacen viejos; pero siguen siendo juguetes.

Estamos a punto de terminar este libro y esto último es muy importante. Esto del dar, es como el queso y el aguacate en unos buenos tacos. Un amigo dominicano me dijo: "No, Andrés, es como ponerle cebollita al mangú", y un amigo venezolano me dijo: "Es como ponerles mantequilla a las arepas". Esto es lo que le va dar sazón a tu vida. Es la razón por la que salimos de deudas y acumulamos. Suena ilógico caminar por todos estos pasitos, acumular y llegar a este último pasito para dar mucho. No te estoy diciendo que des por el puro hecho de dar, te darás cuenta que das porque disfrutas hacerlo.

Al principio, es difícil porque estamos aferrados a nuestro dinero. Creemos que entre más apretemos el dinero, más vamos a poder juntar; pero no es así como funciona. Si extiendes tu brazo con el puño cerrado, nadie puede saludarte. Si tratas tu dinero con los puños cerrados, es verdad, que no se te escapara ni un billete, pero tampoco puedes ser bendecido para recibir más. No llegues a ser como esas personas que mientras más acumulan, más se aferran a su dinero al punto que se vuelven paranoicos y todo lo que hacen es proteger su dinero, hasta de sí mismos. Es como si fueran felices solo porque ahora tienen dinero, pero no es cierto. Se puede convertir en una enfermedad muy tóxica para el corazón. La amargura, la codicia y la avaricia traen dolor y soledad. En lo espiritual, dice la Biblia que el amor al dinero es la raíz de todos los males. Dios mismo te acusaría de idolatría. ¡Cuidado! "¡Ay, Andrés, ¡qué exagerado eres!". No exagero, la avaricia te ciega, la codicia te anula, la amargura hace que los demás se alejen de ti. En cambio, la generosidad te da alegría, te motiva a seguir adelante, proyectas un corazón tranquilo, lleno de paz, y la gente te trata bien, aunque no sepan lo que has dado o si tienes para dar. La generosidad enfoca tu visión, alinea tus fuerzas, deja que tu pensamiento respire y multiplica tus recursos. Es como si Dios estuviera en el cielo buscando a una persona a quien darle los recursos para que lleve a cabo los propósitos de Él en la tierra. ¿Qué sentirías si supieras que Dios está confiándote esa tarea?

¿Has ido a un rancho con un estanque o alguna laguna pequeña donde el agua está estancada? En otras palabras, el agua llega allí, pero no corre. No es como un arroyo o un río donde el agua está en constante movimiento, fluyendo. Cuando el agua se estanca, no pasa mucho tiempo para que empiece a apestar, a oler feo. Cuando el agua se estanca, se crea una espuma en la superficie y empieza a salir lama. Lo mismo pasa con las personas cuando el dinero no fluye, empiezan a apestar. Ustedes conocen este tipo de personas, son bien tacaños. Tal vez han querido trabajar para ti o tal vez has trabajado para alguno de ellos o tal vez fue tu novio. Peor, tal vez uno de ellos quiere ser el novio de tu hija. ¡Fúchila! ¡Guácatelas!

Hablando de tacaños, saliendo del hotel, un tipo paró un taxi y le dice "¿Por cuánto me lleva al aeropuerto?" "Por $20 dólares". "¿Y mis maletas?" "Las maletas van gratis". Y el tipo le dice: "Bueno lleve mis maletas al aeropuerto y allí lo alcanzo".

Esto es lo que sucede con todo lo que se tapa. Todo lo que se tapa, todo lo que se estanca, donde algo entra, pero no sale por el otro lado. Con el tiempo, empieza a apestar. El espíritu del ser humano es igual. La generosidad casi no existe en el mundo. Nadie te regala nada, nadie ayuda a nadie a menos que reciban un beneficio o que nazca del corazón. Así que este tema de la generosidad es un tema espiritual.

"Andrés, me encanta todo esto que estás enseñando y cómo lo enseñas; pero cuando hablas de religión como que no, eso no tiene nada que ver con el dinero, es algo muy personal y, aparte, no necesito que me des un sermón". Algunas personas me lo han mencionado, y yo sé que otros lo piensan, pero qué raro que cuando yo digo: "Existe un dicho que dice…" nadie lo cuestiona; pero si menciono un proverbio, más de alguien se incomoda. Yo les he mencionado que todo esto está basado en principios bíblicos y les he mostrado versículos que hablan de la verdad como un dicho. Todo lo que les he estado enseñando te lleva a la paz financiera. Todos son ingredientes diferentes necesarios para llegar a esa paz y, es mi opinión, que este es otro ingrediente es igual de necesario que los demás. El agua tiene que fluir y no estancarse. Así que este tema del dar es un tema espiritual.

¿Por qué es que Dios nos llama a dar? Porque como un Padre que se preocupa por sus hijos, Él sabe lo que es bueno para nosotros. Recuerdo estar conversando con una de las chicas de la oficina sobre presupuestos y le mostré el mío. Lo vio, lo vio, y lo vio, y me dijo: "Dios ha sido bueno contigo y ¿no lo honras con tu dinero?". Sentí un silencio muy incómodo porque en ese entonces, aunque no iba a la iglesia era una persona que creía en Dios y sabía exactamente de lo que me estaba hablando.

Yo aprendí de Dios de chiquito en la iglesia, pero lo conocí de adulto y siempre he cuestionado todo. Esa misma muchacha nos invitó a la iglesia y aceptamos. Pero te diré que la razón por la que aceptamos era porque mi esposa y yo ya habíamos visto algo en ellos que nosotros no teníamos. Como yo era el dueño del negocio, las fiestas las hacíamos en mi casa. Allí nos dimos cuenta que ellos parecían amarse mucho. Yo sentía que nosotros teníamos un matrimonio normal, pero ya saben 3 días buenos, 5 malos, 2 días buenos, 4 malos, normal. Y como mis amigos y mi hermano andaban igual, pues yo pensé, "así es esto del matrimonio"; así es, un martirio. Pero ella y su esposo tenían algo que nosotros no teníamos. Con esa curiosidad aceptamos la invitación. Cuando llegamos al estacionamiento de la iglesia recuerdo que le dije a mi esposa, "Deja la cartera en el carro, no vaya a ser que pidan dinero".

Ese mismo día tomamos la decisión de aceptar a Jesucristo como nuestro Salvador. Volteé a ver a mi esposa, y ella con lágrimas en los ojos, y yo por dentro con una sensación de certeza pensé: "Somos de aquí". Es tan bonito lo que se siente en el alma cuando recibes ese regalo de aceptación en la familia de Dios. Empezamos a ir a la iglesia todos los domingos y nuestro matrimonio empezó a sanar. Poco después nos invitaron a una clase los miércoles y empezamos a ir. Me di cuenta que era un estudio bíblico y recuerdo haber pensado, "no puedo creer estoy en un estudio bíblico". Anteriormente habíamos intentado ir a la iglesia, pero solo por ir y cualquier excusa era suficiente para no ir. Recuerdo que una vez le dije a mi esposa, "Mañana no podemos ir a la iglesia porque tengo que lavar los carros. Como no los lavé hoy, sábado, los tengo que lavar mañana para no andar en carros sucios durante la semana". ¡Qué tonto! Preferí lavar el carro que escuchar la Palabra de Dios y lavar mi alma. Tal vez no estábamos listos o tal vez la iglesia a la que estábamos asistiendo no era para nosotros. Las cosas cambiaron, antes hasta una llamada era suficiente excusa para no ir a la iglesia. Después, si teníamos familia o amigos de visita en casa les decíamos, nosotros vamos a la iglesia, ¿nos acompañan? Ellos también estaban viendo cambios en nosotros y también les causó curiosidad, así como nos pasó a nosotros. Fue un poco extraño porque un día, conversando, nos dimos cuenta que teníamos un sentimiento en común: estábamos recibiendo, pero no dando.

Un par de veces habíamos llegado a la conclusión que nos habíamos equivocado al casarnos y no éramos tan compatibles como habíamos pensado. Bueno... no fue así de bonito, eso se dio más en discusiones más acaloradas con mesas, sillas y sartenes volando. Yo pensaba, "De todos los pececitos que están en el océano me tocó esta que está descompuesta". Sé que suena feo, pero estoy siendo bien transparente. No dudo que ella pensó algo así, "mi suegra me estafó, me dieron un ogro vestido de príncipe"; porque lo que sea de cada quien, yo soy bien parecido. Hmmm... me gustó cómo sonó eso. En mi pueblo habrían dicho, "me dieron gato por liebre". El punto es que nuestro matrimonio andaba por los suelos y ahora teníamos un matrimonio fantástico. Estábamos agradecidos con Dios porque había sanado nuestro matrimonio. Los dos nos sentimos llenos por dentro y fue cuando mi esposa, me dijo: "Dios ha sido bueno con nosotros y me gustaría que empezáramos a honrar a Dios con nuestro dinero".

> **Dar nos hace menos egoístas y los que son menos egoístas tienden a prosperar económicamente y a tener amistades de calidad.**

Yo soy mucho más práctico en mi forma de pensar y pensé, "Dios, tú nos has dado y dado; mi alma se siente libre por el regalo del perdón y de tu misericordia, que siento aquí en el pecho, te pedí por nuestro matrimonio e hiciste un milagro, ahora quiero honrarte con todo lo que somos, incluyendo nuestro dinero".

Hay personas que hacen parecer a Dios como una máquina de refrescos que le metes dinero aquí y te sale un premio acá. Por lo que veníamos experimentando, para nosotros no fue "te doy para recibir". Fue más un corazón agradecido, "te damos por lo que ya recibimos". Después aprendí que cuando honras a Dios con tu dinero, Él abre las compuertas de cielo y derrama bendición hasta que sobreabunde y, aparte, te protege del devorador. Así dice la Biblia en Malaquías 3:10, y así lo hemos experimentado. Como te mencioné, yo no esperaba nada a cambio; y aprendí acerca de los resultados de dar después de que ya lo hacía. Sin embargo, a pesar de no esperar nada a cambio, nuestro negocio empezó a crecer.

Antes, yo trabajaba siete días a la semana y el dinero no rendía. Aprendí del "sábado". Cuando escucho la palabra sábado me trae lindos recuerdos porque crecí con mis hermanos viendo caricaturas los sábados. Pero aprendí en la iglesia que necesitamos apartar un día para descansar y para ir a la casa de Dios. Eso fue difícil porque si alguien solo podía verse conmigo el domingo, yo agendaba la cita. Estaba preocupado porque si el dinero no rendía trabajando siete días a la semana, cómo íbamos a estar si iba a trabajar solo seis días. Te soy sincero, le dije a Dios, "tengo dudas, pero voy a confiar" y corté los domingos. El dinero rindió. Mi esposa y yo estábamos más agradecidos con Dios. Más adelante le dije, "Señor me gustaría apartar los sábados para mi familia". Todavía con un poco de duda si el dinero iba a rendir, pero dejé de agendar citas los sábados y el dinero rindió. Después nos invitaron a un estudio bíblico los miércoles. Yo agendaba citas hasta las seis de la tarde porque había mucha gente que, por sus trabajos, no podían venir durante horas de oficina. Empecé a salirme más temprano los miércoles para llegar más temprano a la casa e ir al estudio bíblico. Como nuestra confianza en Dios iba creciendo, esta vez no dudé. Dios siguió supliendo, y nosotros rete-contentos aprendiendo de sus promesas. Además, había cuidado de niños, así que era una tarde rica para aprender y no preocuparnos por los niños.

Poco más adelante, con un corazón lleno y agradecido, nos ofrecimos para dirigir una clase, ¿de qué crees? Mi esposa y yo empezamos a ofrecer una clase de finanzas personales. La clase que ofrecíamos era la de mi mentor, Dave Ramsey, y era nuestra manera de devolverle a Dios y a nuestra iglesia tanto amor que nos habían mostrado. Al principio pensaba "qué rico que otros van a aprender y a disfrutar de una sana administración"; sin embargo, los que más recibíamos éramos nosotros. Qué rico es ver a otros aprender de finanzas y poder dar a tu iglesia. (Si te llama la atención hacer algo así, ponte en contacto con nuestras oficinas para que te den detalles sobre nuestro curso Paz Financiera).

Hay mucha gente en la iglesia que cree y honra a Dios, pero siguen viviendo de angustia en angustia financiera. Unos llegan hasta a aceptar eso como normal. Hasta cierto punto están diciendo, "Dios, si así me quieres, yo de todas maneras te voy a honrar". Esa es una fe digna de admiración, pero cuando leo y dice que Él nos quiere prosperar en todo, realmente creo las finanzas están incluidas. Otros se apartan porque hasta dudan si Dios está en su vida pues los problemas financieros no paran. He aprendido y he experimentado que necesitamos seguir las instrucciones de Dios. La bendición está al otro lado de la obediencia. "¿Obediencia a qué, Andrés?". Obediencia a los principios que has venido aprendiendo en este libro. Las bases de este libro están en las verdades de Dios; las cuales funcionaron hace 2,000 años y siguen funcionando hoy. Unas personas me han escrito y me han dicho que sus líderes les dijeron que sus problemas existen por falta de fe y hasta por una vida de pecado. Qué pena me da escuchar eso. Hacen parecer a Dios como si estuviera buscando a quién castigar con un látigo. Esa es la respuesta de muchos líderes religiosos. La respuesta es enseñar a la congregación, de manera práctica, lo que Dios nos enseña acerca del dinero. Quiero decir que no los culpo porque ellos tampoco saben; pero creo que como líderes es su responsabilidad aprender, buscar ayuda, recursos, materiales, algo para enseñar a su gente. Dios no está buscando a quién castigar, en Su gran amor Él nos dejó instrucciones y si nos las sigues, te pierdes de la bendición.

Por lo que hemos experimentado y visto en otras personas, me intrigó el tema de dar y empecé a entender por qué se nos llama a dar. Dios nos invita a dar porque cada vez que lo hacemos nos cambia, nos quebranta el corazón y nos transforma a ser un poquito más como Él. Dios es un dador, dio a su único Hijo para salvarnos. Cuando pasa el plato en la iglesia para dar y pones el cheque o el dinero, cada vez que lo haces o cuando cooperas de tu tiempo o talentos te hace sentir diferente, ves las cosas de manera diferente. Cuando cambias, cuando eres más como Cristo, te vuelves menos egoísta, menos yo, yo, yo, o mío, mío, mío. Dar nos hace menos egoístas y los que son menos egoístas tienden a prosperar y a tener amistades de calidad. ¿Sabes qué tipo de persona es un mejor papá? El menos egoísta. ¿Sabes quién es una mejor mamá? La menos egoísta. ¿Sabes quién es un mejor empleador? Uno que no es codicioso, uno menos egoísta y que está dispuesto a compartir cuando ganan más. ¿Sabes quién es un mejor empleado? Uno que hace todo lo que sea necesario, que es menos egoísta y se concentra más en servir que en ser el centro de atención. Uno tiende a prosperar cuando es menos egoísta. Los únicos egoístas que prosperan salen en la televisión, pero eso es solo un show. Las personas que han dado durante toda su vida, es decir, desde que aprendieron hasta que el Señor los llama a su presencia, se les ve la paz y la humildad en el rostro. Son personas que, aunque tengan 80 años y caminen con bastón, irradian una seguridad y una tranquilidad que da envidia, ¿a poco no? Ya casi parecen ángeles. Dar nos hace parecernos más a Cristo.

"Andrés, ¿cuándo debemos empezar a dar?". Lo antes posible para empezar a disfrutar y ser transformado por la generosidad. Aunque estés en el hoyo, puedes empezar por honrar a Dios con tu dinero para conectarte a su bendición. La próxima vez que estés en la iglesia y venga el plato, prepárate con lo que le vas a dar y pídele con fe que te transforme a su manera. Pídele con fe que te ayude a cambiar y a practicar estos principios. Más adelante, cuando ya estés estable, puedes incrementar tu generosidad agregando la categoría de ofrendas por encima del diezmo a tu presupuesto. Será emocionante buscar dónde pueden ser de bendición.

¿Qué tal si la próxima vez que veas a un niño en la calle, sin bicicleta, le compras una? Aunque parezca que el regalo es para él, en realidad es un regalo de Dios para ti. Tal vez, en el futuro, veas necesidad en una familia y en vez de regalarle una bici, les regalas un carro. A unos les puedes sonar extremo, pero cuando entiendes que los recursos te los ha dado Dios y tienen un propósito por encima de tu uso personal, te das cuenta que la satisfacción incomparable que sientes al ser generoso, es otra manera de Dios para bendecir tu vida. Verás, las bendiciones no solo se cuentan en billetes y monedas… no, tampoco en oro ni piedras preciosas. Se cuentan en paz, salud, alegría, armonía, respeto, cariño, etc., etc.

Deja de ser un estanque y conviértete en un río donde hay vida porque el agua fluye. Nadie termina pobre por ser generoso, todo lo contrario. Empieza por honrar a Dios con los diezmos para conectarte al favor de Dios y que esas compuertas de bendición se abran para ti y tu familia. Por encima de eso, agreguen la categoría de ofrendas al presupuesto y disfruten de eso porque les aseguro que ni en la feria se siente tu corazón más contento que cuando das.

11

Sé como el abejorro

Abejorros

¿Conoces a los abejorros? Los abejorros son unos insectos negros, bastante gorditos, con unas alas relativamente pequeñas para su tamaño y peso. La física nos diría que, el abejorro no puede volar por el tamaño de sus alas. No es como un águila o un avión que sus alas se extienden a lo largo y ancho. El "problema" es que nadie le dijo al abejorro, cuando era chiquito, "tú no vas a poder volar, tus alas son muy pequeñas, ni lo intentes". Y como nadie le dijo eso, él vio su espalda y dijo "tengo alas, voy a volar". Al abejorro no le importa la física, cuando decide, simplemente vuela. A los hispanos nos ha llegado un mensaje y ha creado una mentalidad de que somos "los chiquitos", financieramente hablando. Nosotros somos los que hacemos el trabajo duro y ganamos poco. "Ni sueñes con ser rico porque eso es para otra gente, no para nosotros", lo he oído decir muchas veces. "¿Comprar carros sin pagos? ¡Por favor! Los pagos de carro son parte de la vida. Sé listo y consíguete el mejor carrito posible con el menor pago posible". "¿Inversiones? No te creas de ese tal *Machete,* el de la radio, eso no es para nosotros, él le debe estar hablando a otros". "*Mijito,* agárrese un trabajito estable y pague sus cuentas a tiempo para cuidar su crédito, así puede ir haciendo sus cositas poquito a poco". Nosotros somos de la clase media hacia abajo. ¡Arrrrg! No me puedes ver, pero hice un coraje como el Hulk de las películas y me puse verde solo de escribir esto. Eso es una mentira que algún pobretón, flojo, sin metas, pero más que nada, sin instrucción dijo eso, y como muchos andan igual, aceptaron eso como verdad. ¡Claro, porque es más cómodo quedarse echado en un sillón viendo la televisión, que salir a esforzarse y educarse para tener una vida mejor! Aquí estoy para decirte que eso es una mentira. La paz financiera sí existe para cualquiera que siga las instrucciones, y no son solo palabras motivacionales. Como asesor financiero, he visto familias tomar decisiones de forma diferente a como lo hace todo mundo y transformar su vida financiera. He asesorado a familias que de alguna manera no se creyeron esas mentiras, que recibieron buen consejo y se jubilaron con comodidad sin tener que ser una carga para el gobierno o la familia. Tú debes ser como ese abejorro que no escuchó nada acerca de sus limitaciones y simplemente ves que tienes alas y ¡a volar! Si leer este libro te está haciendo reconocer que tienes alas y que independientemente de donde vivas, puedes abrirlas y volar, pues ¡adelante!, ábrelas y experimenta qué buena es la vida cuando practicas estos principios. Es tiempo de ser libre y volar como el abejorro.

Ni lo intentes

> La paz financiera existe para cualquiera que siga las instrucciones.

"Andrés, voy a *intentar* lo que aprendí en este libro". No *intentes* lo que has aprendido en este libro porque va a ser muy difícil. No *trates*, porque no lo vas a lograr. Las intenciones no sirven para nada. "Mi amor, dame muchos besos porque hoy tuve la intención de traerte flores". Doña Blanca decía: "de buenas intenciones está asfaltado el camino al infierno". No esperes una actitud diferente de tu esposa si tuviste *la intención* de llevarle flores. No te preguntes: "No entiendo por qué no se puso contenta. Le dije que pensé en traerle flores". Suena un poco tonto, ¿a poco no? Las intenciones son como los sueños, el humo o el gas en el cielo. No es nada sólido, nada tangible. Baja esos sueños y vístelos con ropa de trabajo, eso significa tener un plan por escrito para lograr esas metas. Los sueños son para la almohada. Despierta de esos sueños, siéntate con tu familia y hablen; y si realmente quieren dar un giro a sus finanzas, agarren un papel, tomen decisiones y pongan el plan para lograrlas y jalen todos parejo. Si alguien se queda, se "arrepiente" porque muy duro, se cansa, etc., jalen todos parejo. Este no es un libro de cómo establecer metas, aunque he leído mucho sobre eso y te lo puedo simplificar así: Tus metas tienen que estar por escrito y tener un plan de acción. Además, el plan de acción tiene que tener fechas de cumplimiento. Por ejemplo, en el Pasito #1, te recomendé que juntes $1,000 dólares y también dije en 30 días. Ahora, haz un plan por escrito sobre lo que tienen que hacer o cambiar para lograrlo. "Quisiera terminar con mis deudas en 18 meses", divide tu deuda entre 18 y eso es lo que tienes que mandar mensualmente. ¿Cuándo terminan los 18 meses? Esa es la fecha de cumplimiento. Ajusta, aprieta, vende, trabaja para lograr mandar eso por mes y saborear tu libertad en 18 meses.

La paz financiera realmente existe, pero lo más emocionante es que no está al final del túnel. La paz financiera no llega después de terminar con todos los pasitos del plan financiero. La paz financiera la empiezas a sentir desde el momento que tomas la decisión y comienzas a llevarla a cabo. Definitivamente, la empiezas a vivir cuando terminas con el primer pasito. Para cuando terminas con el Pasito

#3 estás disfrutando de una paz que nunca habías sentido y al mismo tiempo te entra un coraje de por qué alguien no te enseñó esto antes. "¡¿Cómo puede ser que pasaron tantos años sin que alguien me enseñara esto?!". Eso fue lo que yo sentí. Como ya viví de las dos maneras: en crisis y ahora vivo en paz financiera; les puedo decir que esto de la paz financiera es mucho mejor de lo que se puedan imaginar. Es difícil de describir el sentimiento de no estar preocupado cada mes sobre cómo haces para que se estire el cheque o se encojan los días. Yo no vuelvo atrás, no hay un producto o servicio que me puedas ofrecer por el cual me vaya a endeudar y empezar a retroceder. Ya viví las consecuencias de vivir sin orden y casi pierdo mi familia.

Te he compartido más que suficiente para que tomes control de tu vida financiera. Por supuesto, hay temas en los que podemos profundizar más, como las inversiones, pero eso no es lo que te hace ganar con el dinero. Hay que vivir los principios que compartí aquí para que puedas invertir. Llegar a las inversiones es consecuencia de poner en práctica estos pasitos y, cuando estés listo, aparecerá un asesor para caminar contigo.

Tú tomaste este libro con la esperanza de aprender a controlar tu dinero. Nadie lee algo financiero a menos que haya un fuerte interés por cambiar su situación. Lo que he compartido contigo aquí, funciona y no está a prueba. Yo no inventé nada de esto, simplemente lo he vivido y compartido como profesional en una oficina y ahora en público. He visto que los resultados se siguen repitiendo con las familias que los practican. Yo creo que esto tiene realmente el poder de cambiar no solo tu vida financiera sino toda tu vida. Te voy a pedir un favor, si este libro te ha inspirado a tomar control de tu dinero, compártelo con otros. Compra 10 libros y regálalos en cumpleaños, aniversarios, graduaciones, Navidad, etc. También se lo puedes dar a cualquier amigo o pariente que llegue a pedirte prestado.

> **Toma el control de tu vida porque nadie más lo va a hacer por ti.**

Toma el control de tu vida porque nadie más lo va a hacer por ti. No es responsabilidad del gobierno sacarte del hoyo y proveer para tus hijos. Tampoco es responsabilidad de la iglesia, ni la de tus padres; y mucho menos la de tu conyuge. Estás totalmente equipado para llevar orgullosa y ejemplarmente el título de "proveedor".

Estoy seguro de que, si sigues estos consejos dentro de 30 días estarás en camino a ser una persona diferente, a tener una familia diferente y a vivir de manera diferente. En este momento, me convierto en tu médico financiero y te doy la receta para sentirte mejor en 30 días:

Junta $1,000 dólares en 30 días.
Haz y vive bajo un presupuesto.
Si tienes deudas, haz el plan para salir.

Cuando pongas estos principios en práctica, vas a impactar tu vida, la de tus hijos y la de tu comunidad; no solo para hoy o para los próximos cinco años. Tu impacto llegará a muchas generaciones después de ti; pero, cuidado, porque lo contrario también es cierto. Te advierto que, si te quedas como estás, también vas a impactar a muchas generaciones después de ti, pero de manera negativa. Si te quedas de brazos cruzados, ni te creas que lo peor va a ser que todo siga igual. El mundo sigue avanzando, aunque tú te quedes parado. Las deudas siguen acumulando intereses, los precios siguen subiendo, las necesidades se acumulan, en fin, el hoyo se hace más hondo. Grábate bien esto: En esta vida, el que no avanza, va para atrás. Ya sabes qué hacer. Ahora, ve y hazlo; y te espero en la cima de la paz financiera pa' celebrar.

Acerca del autor:

Andrés Gutiérrez,
"El Machete pa' tu billete"

Andrés Gutiérrez creció en México y en los Estado Unidos. Entiende, de primera mano, las tensiones culturales y financieras que enfrenta la población hispana en Latinoamérica. Andrés no solo conoce y comparte los principios para salir del hoyo, sino que también sabe lo que es sentir la presión de las deudas y no tener ni para el pago de la casa. Antes de compartir estos principios con sus clientes, Andrés los puso en práctica y acabó con la escasez en su vida. Él y su esposa, Zaira, lleva años practicando estos principios.

Andrés comparte estos temas a través de la radio y en cualquier plataforma. Fue el fundador de la empresa exitosa de planificación financiera, *PAX Financial Group*, donde asesoró a más de mil familias por un periodo de casi 12 años. En el 2009, Andrés Gutiérrez unió fuerzas con el experto financiero, Dave Ramsey, con la misión de llevar esperanza a través de un mensaje sencillo, pero transformador, a toda la comunidad hispana.

Hoy, Andrés Gutiérrez es un orador enérgico y apasionado, que trae su mensaje a todo tipo de grupos por toda Latinoamérica y los Estados Unidos. Además de organizar eventos en vivo, él es el creador de *Paz Financiera*, una serie de seis clases por video que exploran los principios verdaderos de las finanzas personales. Puedes escuchar a Andrés Gutiérrez, de lunes a viernes, en su programa de radio: *El Show de Andrés Gutiérrez*.

Andrés Gutiérrez cuenta con una Licenciatura en Ciencias de Schreiner University, y con varias licencias y certificaciones de inversiones y seguros incluyendo: CSA, CFA y CLTC. Él vive con su esposa y sus tres hijos, en San Antonio, Texas.

Puedes seguir a Andrés a través de Twitter al @elshowdeandres, o en su página de Facebook: facebook.com/elshowdeandres y por la internet en su portal *andresgutierrez.com*.

Herramientas

MI PLAN PARA JUNTAR $1,000

RECORTAR GASTOS

Ejemplo de los gastos que puede recortar: restaurantes, entretenimiento, pesca, manicure, peluquería o salón de belleza, celulares, cable, gasolina, vacaciones, fiestas, regalos, shampoo, carnes, electricidad, agua y todo lo que se interponga para cumplir su meta.

_____   _____
_____   _____
_____   _____
_____   _____

"Mientras más gastos recorte, más rápido alcanzará su meta."

VENDER

Ejemplo de cómo puede vender esas cosas: venta de garage, eBay, Craigslist, Facebook, etc.
Ejemplo de cosas que puede vender: bote, moto, joyería, herramientas, juegos de mesa, ropa, muebles, electrónicos, perro, gato, perico, etc. ¡No. A sus hijos no los venda, por favor! (No... tampoco a la suegra).

_____   _____
_____   _____
_____   _____
_____   _____

"Cuando hay dinero, las cosas llegan solitas."

TRABAJO EXTRA

Ejemplo: arbitrar partidos, entregar pizzas, repartir periódicos, paquetería, mudanzas, pedir horas extras, ayudante de quien necesite ayuda, limpiar casas o jardines.

_____   _____
_____   _____
_____   _____
_____   _____

"Hay un excelente lugar para ir cuando estás quebrado, ¡a TRABAJAR!"

En este día _____ del mes de _____ del año _____ yo(nosotros) _____
_____ me(nos) comprometo(comprometemos) a seguir este plan al pie de la letra y para el día _____ habré (mos) reunido $1,000 dólares y estaré(mos) listo(s) para el siguiente paso de mi(nuestro) plan financiero.

_____   _____
Firma   Firma

PRESPUESTO IGUAL-A-CERO

Ingreso Neto [   ]

Sume la columna de lo "Presupuestado" y coloquelo aqui

Use el sistema de sobres cuando vea este simbolo

♥ DONACIONES — Presupuestado

Diezmo	_____
Caridad y Ofrendas	_____

*10–15% [   ]

🍎 SUPERMERCADO — Presupuestado

✉ Comida	_____
Otro	_____

*5–15% [   ]

🚗 AHORROS — Presupuestado

Fondo de Emergencia	_____
Fondo de Jubilación	_____
Fondo Universitario	_____

*10–15% [   ]

👕 ROPA — Presupuestado

✉ Adultos	_____
✉ Niños	_____
Lavandería y Tintorería	_____

*5–15% [   ]

🏠 VIVIENDA — Presupuestado

Primera Hipoteca/Renta	_____
Segunda Hipoteca	_____
Impuestos a la Propiedad	_____
Mantenimiento/Reparaciones	_____
Costos de Asociación	_____

*25–35% [   ]

🚐 TRANSPORTACIÓN — Presupuestado

Pago de Auto	_____
✉ Gasolina y Aceite	_____
Lavandería y Tintorería	_____
Licencia e Impuestos	_____
Remplazo de Auto	_____
Otro _____	_____

*5–15% [   ]

⚙ SERVICIOS PÚBLICOS — Presupuestado

Electricidad	_____
Gas	_____
Agua	_____
Basura	_____
Teléfono/Celular	_____
Alarma	_____
Internet y Cable	_____

*5–10% [   ]

⚕ SALUD/MÉDICO — Presupuestado

Medicinas	_____
Pagos Médicos	_____
Dentista	_____
Optometrista	_____
Vitaminas	_____
Otro _____	_____

*5–15% [   ]

PRESPUESTO IGUAL-A-CERO

🛡 SEGURO — Presupuestado

- Seguro de Vida _____
- Seguro Médico _____
- Seguro de Vivienda/Inquilinos_____
- Seguro de Auto _____
- Seguro de Incapacidad _____
- Seguro de Robo de Identidad_____
- Seguro Médico a Plazo Largo_____

*10–25% [ ]

🏃 RECREACIÓN — Presupuestado

- ⊠ Entretenimiento _____
- ⊠ Vacaciones _____
- ⊠ Restaurantes _____
- ⊠ Cine _____
- ⊠ Hobby _____
- ⊠ Música/Tecnología _____
- ⊠ Renta de Película _____

*5–10% [ ]

👤 PERSONAL — Presupuestado

- Guardería/Cuidado Infantil_____
- Cosméticos/Peluquería _____
- Educación/Matrícula _____
- Libros/ Útiles Escolares _____
- Manutención del Menor _____
- Manutención del Cónyuge_____
- Cuotas de Asociaciones/Gimnasio_____
- Regalos (Navidad, etc.) _____
- Remplazo de Muebles _____
- ⊠ Caja Chica (Para Él) _____
- ⊠ Caja Chica (Para Ella) _____
- Gastos para el Bebé _____
- Mejoras a la Casa _____
- Gastos para la Mascota _____
- Apoyo a los Padres _____
- Jardinería _____
- Misceláneo _____
- Otro_____ _____
- Otro_____ _____

*5–25% [ ]

🔗 DEUDAS — Presupuestado

- Tarjeta de Crédito 1 _____
- Tarjeta de Crédito 2 _____
- Tarjeta de Crédito 3 _____
- Tarjeta de Crédito 4 _____
- Préstamo Universitario 1 _____
- Préstamo Universitario 2 _____
- Préstamo Personal _____
- Préstamo Personal _____
- Préstamo de Propiedad de Inversión_____
- Préstamo de Propiedad de Inversión_____
- Otro _____ _____
- Otro _____ _____

*10–15% [ ]

Después de llenar cada categoría, reste el
"TOTAL DE LAS CATEGORÍAS" de su "INGRESO NETO."

Ingreso Neto [△]

Sume el total de
todas las categorias [△]

Recuerde –
La meta del BALANCE es
un resultado igual a cero. [△]

PRESUPUESTO PARA UN INGRESO IRREGULAR

	CATEGORÍAS QUE NO CABEN EN EL PRESUPUESTO IGUAL-A-CERO		
#	Artículo	Cantidad	Cantidad acumulada
#___	_____	$_____	$_____
#___	_____	$_____	$_____
#___	_____	$_____	$_____
#___	_____	$_____	$_____
#___	_____	$_____	$_____
#___	_____	$_____	$_____
#___	_____	$_____	$_____
#___	_____	$_____	$_____
#___	_____	$_____	$_____
#___	_____	$_____	$_____

	PRESUPUESTO IRREGULAR EN ORDEN POR PRIORIDAD		
#	Artículo	Cantidad	Cantidad acumulada
#1	_____	$_____	$_____
#2	_____	$_____	$_____
#3	_____	$_____	$_____
#4	_____	$_____	$_____
#5	_____	$_____	$_____
#6	_____	$_____	$_____
#7	_____	$_____	$_____
#8	_____	$_____	$_____
#9	_____	$_____	$_____
#10	_____	$_____	$_____

LA BOLA DE NIEVE

Deuda	Dedua Total	Pago Minimo	Pago Nuevo	Fecha de Salida
_____	_____	_____		_____
_____	_____	_____		_____
_____	_____	_____		_____
_____	_____	_____		_____
_____	_____	_____		_____
_____	_____	_____		_____
_____	_____	_____		_____
_____				

Fecha de libertad financiera

_____

Vuelve a calcular todo para terminar en 10 meses y preguntese que se tomaría para hacer esto una realidad. Cuando sean libres, tomense una foto, enviamela por las redes sociales y marquenme al show para celebrar junto con ustedes.